あたしは今《いま》もナナの名《な》前《まえ》を呼《よ》び続《つづ》けている

どんなに痛《いた》くても

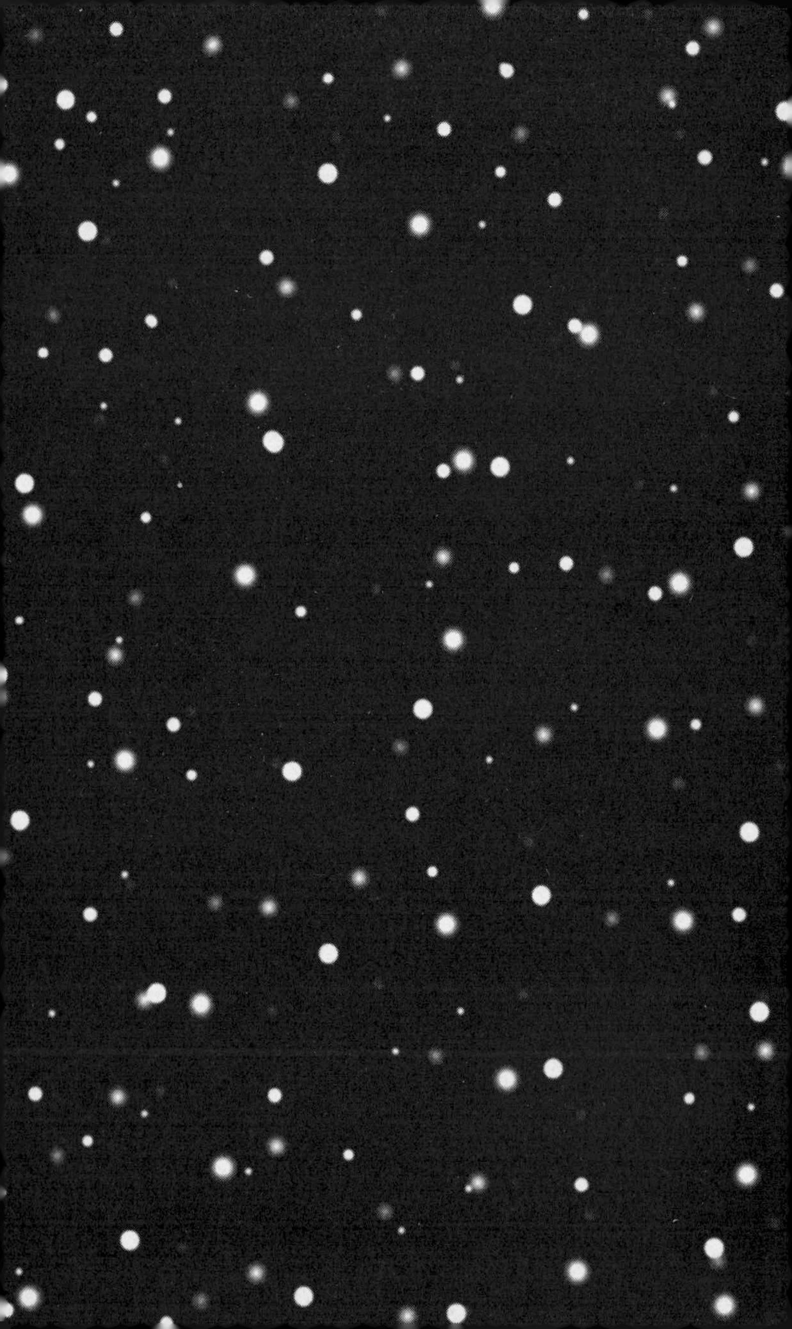

応《こた》えてもらえるまで

NANA
ナナ
[第《だい》25話《わ》]

約束《やくそく》を

果《は》たせなくてごめんね

あんたは覚《おぼ》えちゃいないだろうけど

広《ひろ》い庭《にわ》のある立派《りつぱ》な家《いえ》を
あたしは本気《ほんき》で建《た》てるつもりだったんだ

海《うみ》の見《み》える高台《たかだい》に
最新《さいしん》のシステムキッチンと地下《ちか》スタジオ

あんたの部屋《へや》のクロゼットには
流行《はや》りの服《ふく》を絶《た》やさず取《と》り揃《そろ》えて

男《おとこ》に泣《な》かされてばっかのあんたが

何度《なんど》 出戻《でもど》ってきても笑《わら》えるように

STATION
どさっ
東京《とうきょう》まで片道《かたみち》
雪《ゆき》でダイヤ乱《みだ》れてますよ

タン
タン
タン
着《つ》けばなんでもいいよ

見送《みおく》りなんか いいのに
仮病《けびょう》使《つか》って 会社《かいしゃ》休《やす》んでまで 張《は》り込《こ》んでたのに その言《い》い草《ぐさ》は ねえだろ
一人《ひとり》?
ノブは?
今頃《いまごろ》 家《いえ》で 泣《な》いてんじゃない?
だって 昨日《きのう》の 今日《きょう》だぞ おまえ
いきなり置《お》き去《ざ》りに される身《み》にもなれ
ごめん
言《い》い出《だ》す タイミングが
難《むずか》しくて

覚悟《かくご》はしてたけどな
いつかこういう日《ひ》が来《く》るのは
おれも　ノブも
何《なに》？
誕生日《たんじょうび》プレゼントだ
………
この紙《かみ》きれがかよ……
カサ…
レン
090-72×0-0×14

誤解《ごかい》しないで
あたしはあいつに会《あ》いに東京《とうきょう》行《い》くわけじゃねえんだ
分《わ》かってるよ
それとこれとは話《はなし》が別《べつ》だ
分《わ》かってねえよ
「あんたはなんにも分《わ》かってない」
まもなく
一番線《いちばんせん》から…
あたしの気持《きも》ちが分《わ》かるんなら

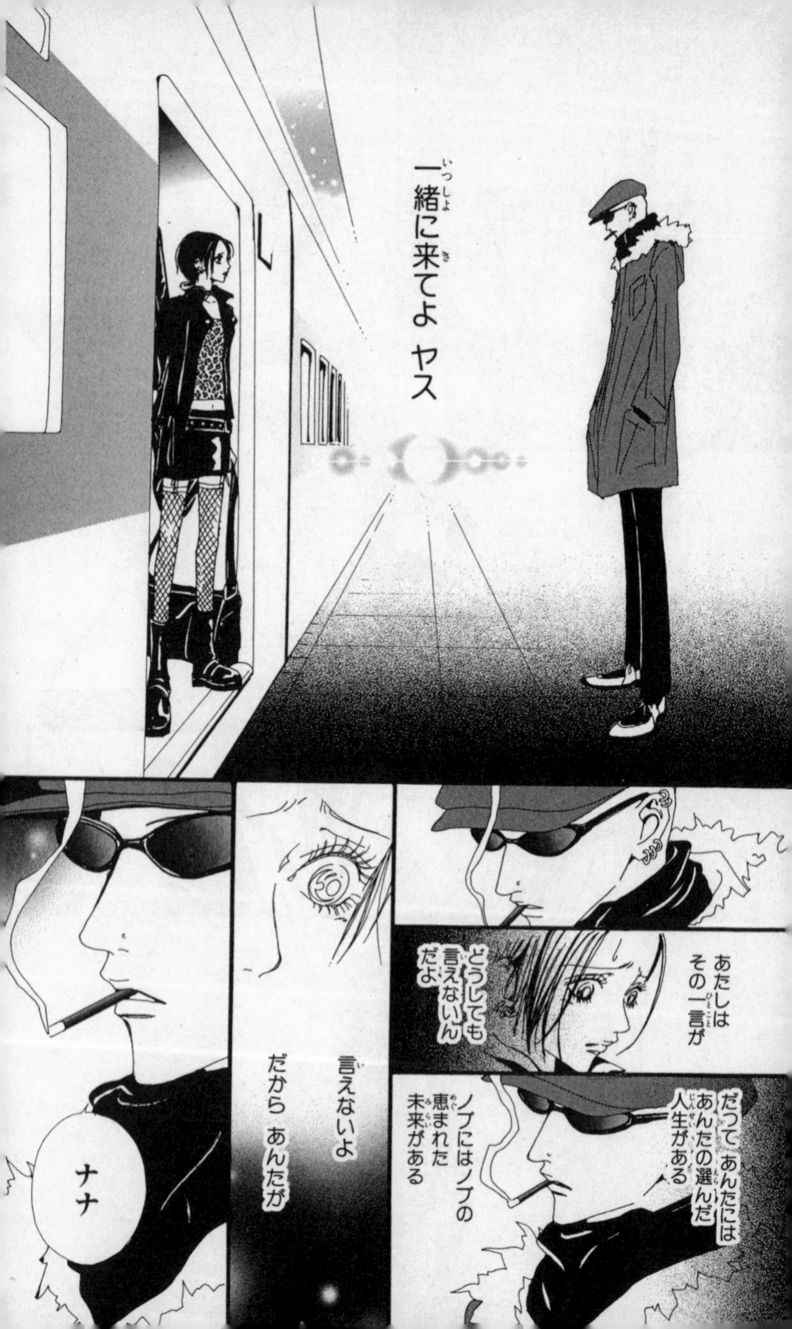
一緒《いっしょ》に来《き》てよ ヤス
あたしは その一言《ひとこと》が
どうしても 言《い》えないんだよ
だって あんたには あんたの選《えら》んだ 人生《じんせい》がある
ノブにはノブの 恵《めぐ》まれた 未来《みらい》がある
言《い》えないよ
だから あんたが
ナナ

自分《じぶん》から望《のぞ》んで
行《い》くなよ
寂《さび》しいじゃない

ふざけんな！
だったらてめえが来《こ》い！
ジリリリ…
交渉決裂《こうしょうけつれつ》だな
まあしっかりがんばれ
ヤス！
弁護士事務所《べんごしじむしょ》なら東京《とうきょう》にもあるぞ！
この町《まち》にいたって歌《うた》は歌《うた》えるぞ

でも
ここにドームや武道館《ぶどうかん》はないじゃない

バカげた夢《ゆめ》だと
思《おも》ってもいいよ
あたしは いつか絶対《ぜったい》
でっかいステージに
立《た》って
ものすごい数《かず》の
スポットライトと
歓声《かんせい》を浴《あ》びて
使《つか》いきれない位《くらい》の
金《かね》を稼《かせ》ぐんだ
ただ歌《うた》ってりゃ幸《しあわ》せな
お姫様《ひめさま》じゃねえから
歌《うた》は あたしの
生《い》きる為《ため》の手段《しゅだん》だから
いつか
絶対《ぜったい》に
ガコン

ぱちっ
きゃあ
ずでっ
ゴッ
がばっ
何《なに》？
ざわ
ざわ
……
しー…ん
誰《だれ》よ
つーか いつまで 乗《の》っかってんだよ
大丈夫《だいじょうぶ》？

あれは
忘《わす》れもしない
2001年《ねん》3月《がつ》5日《か》
20歳《ハタチ》の誕生日《たんじょうび》
あたしは あんたと 出会《であ》った

ゴオオオオ
大魔王《だいまおう》のバカ！
何《なに》も泣《な》くこたねえだろう

だって楽《たの》しみにしてたのに
花火大会《はなびたいかい》――
貯金《ちょきん》
崩《くず》してまで
浴衣《ゆかた》買ったのに――
……
わあああん
とーとー崩《くず》したんだ ナツコの30万《まん》
上京途中《じょうきょうとちゅう》の列車《れっしゃ》で出会《であ》い
何《なん》の因果《いんが》か一緒《いっしょ》に暮《く》らし始《はじ》めた 小松奈々《こまつなな》(通称《つうしょう》ハチ・ハチ子《こ》・ハチ公《こう》)は
わがままで泣《な》き虫《むし》で甘《あま》ったれで
その上《うえ》 異常《いじょう》なまでの恋愛体質《れんあいたいしつ》で しかも移《うつ》り気《ぎ》で
上京《じょうきょう》して半年足《はんとした》らずで 男《おとこ》はすでに3人目《にんめ》
ヒュー……
カタカタ…
ノブ……
なのに少《すこ》しも 汚《よご》れない
不思議《ふしぎ》な女《おんな》だった
くすん

関東《かんとう》地方《ちほう》に 上陸《じょうりく》しました 台風《たいふう》11号《ごう》は
依然《いぜん》 勢力《せいりょく》を 増《ま》して北上《ほくじょう》を 続《つづ》けており
そんなに おれ達《たち》の 幸《しあわ》せが妬《ねた》ましいか
気持《きも》ちは 分《わ》かるけどさ
また魔王《まおう》と 交信《こうしん》してるの? ノブさん
痛《いた》いって
……
ハチは かわいいから 大目《おおめ》に見《み》る けどね
違《ちが》うよ お天気《てんき》 お姉《ねえ》さんと 話《はな》してるんだ
次《つぎ》は各地《かくち》の 予報《よほう》です
なおさら 痛《いた》いよ
♪ピルル〜♪

ノブ夫《お》！何《なに》やってんだ今《いま》すぐ来《こ》い！
7時《じ》にハチ子《こ》を迎《むか》えに来《く》る約束《やくそく》だろ！
バシャ
バシャ
だって出《で》れねえよこの暴風雨《ぼうふうう》じゃ
どーせ花火大会《はなびたいかい》は中止《ちゅうし》だろ？
ハチ子《こ》の浴衣姿《ゆかたすがた》見《み》たくないの？
鼻血《はなぢ》もんよ？
ゴオオオオ
なんでおまえまでついて来《く》るんだシン！
僕《ぼく》もハチのキモノ姿《すがた》見《み》たい！
だから着物《きもの》じゃなくて浴衣《ゆかた》！
どう違《ちが》うの？

花火《はなび》
買《か》って来《き》たし
お得用・花火
嵐《あらし》が去《さ》ったら
河原《かわら》でやろうね♡
かわいい♡
お得用・花火
ハチは うちの
バンドにとっちゃ
ペットみたいな
存在《そんざい》で
ピッピッ
まあ
良《よ》く言《い》や
マドンナだ
メモリダイヤル呼出
ヤス
ハチが そこで笑《わら》っているだけで
なんとなく場《ば》が華《はな》やいで
スタジオでもライブでも
みんな活気《かっき》づいた

それは どんな
腕《うで》の立《た》つ新《しん》メンバーが
加《くわ》わるより
意味《いみ》のある事《こと》に思《おも》えた
ズゴォオオォ
すごい 水《みず》かさ ですね
河原がなくなってる
決壊《けっかい》しなくて よかったよ
花火《はなび》つかない し――
しまった
雨《あめ》でシケったか
もっかい コンビニに 買《か》いに行《い》く？
あ
ついたよ奈々《なな》ちゃん
はい
さすがだなヤッさん
僕たちも つけて！
きゃー♥

無邪気《むじゃき》なんだか
したたかなんだか
こらミン
熱ーって
どキーッ

ナナー!
あんたは気《き》づいちゃ
いないだろうね
自分《じぶん》の一挙一動《いっきょいちどう》が
今《いま》や台風並《たいふうなみ》の
勢力《せいりょく》を持《も》って
あたしの気持《きも》ちを
かき乱《みだ》しているなんて

あたしはまるで
初《はじ》めて恋《こい》を知《し》った
少年《しょうねん》のように
高《たか》ぶる想《おも》いが
決壊《けっかい》ギリギリ

ヤリてえのか ハチ子《こ》と
そーゆーんじゃ ねえって！
ほんっとヤル事《こと》しか頭《あたま》にねえな てめえは！
だって おまえ 恋《こい》を知《し》った少年《しょうねん》なんて 欲望《よくぼう》との戦《たたか》いだぞ
確《たし》かに戦《たたか》いだ
でも性欲《せいよく》ではない
じゃあ 食欲《しょくよく》か
旨《うま》そうだよな
モチみたいで
モチ肌？
モチ？
ぷく〜
あんたと話《はな》してると マジメに悩《なや》んでる自分《じぶん》が アホらしくなるよ
かわいーい♥
そりゃ良《よ》かった
おまえは昔《むかし》から 物事《ものごと》を何《なん》でも暗《くら》く重《おも》く 考《かん》えすぎるんだよ
プシュッ
パカッ

ハチだって おまえに相当《そうとう》 なついてるみてえだし
そこまで想《おも》われりゃ うれしいだろ
思《おも》う存分《ぞんぶん》 かわいがってやりゃ いーじゃねえか
何《なん》の問題《もんだい》もねえよ
………………
そーだけど…
茶豆♡
キャピッ♡
まあ そー言《い》われりゃ そんな気《き》も……
だいたい ヨリ戻《もど》すつもりすら なかったのに なんで いつの間《ま》に こんな 通《かよ》い妻《づま》みたいな事《こと》に……
してくる 自分《じぶん》が すごく嫌《いや》
なんで あたしってこう レンの言《い》う事《こと》とかやる事《こと》に いちいち影響《えいきょう》されやすいんだ
昔《むかし》はともかく なんで未《いま》だに そーなわけ?
全然《ぜんぜん》成長《せいちょう》 ねえじゃん
何《なに》 みそ汁《しる》とか 作《つく》ってんだ あたし…
しかも こんなの 真夜中に
おれの好物《こうぶつ》 だからだろ?

そーだけど……

グツ
グツ
シュー
カチ
こら
おまえのスイッチはどこだ
そんなもんねーよ…

あったら取《と》り付《つ》けてよ
誰《だれ》か　あたしを調節《ちょうせつ》して
どうして未《いま》だに　こんなに
胸《むね》が
焼《や》け焦《こ》げて
熱《あつ》いんだろう

ピルル
ピルル
ピルル
ピルル
ギシッ
はい…
ああ…
タケちゃん?
おはよ…
や……大丈夫《だいじょうぶ》
車《くるま》で行《い》くし
TUESDAY
01 08/28
05:56
あと30分《ぷん》で出《で》るよ
ほとんど寝《ね》てねえじゃん
ヤルより寝《ね》るべきだったか
体《からだ》壊《こわ》すんじゃねえのか?

でも それだけ 仕事入《しごとはい》るのは やっぱり うらやましい
つーか くやしい
ペチッ
まだ 寝《ね》てりゃ いーのに
おれの生活《せいかつ》に 付《つ》き合《あ》ってたら 早死《はやじ》にするぞ
でもバイト 入《はい》ってるし
ノブが行《い》ってる 引《ひ》っ越《こ》し屋《や》が 人手《ひとで》 足《た》りないらしくて 紹介《しょうかい》してもらったんだ
引《ひ》っ越《こ》し屋《や》？ 男《おとこ》らしいな
夜《よる》は毎日《まいにち》 バンドの練習《れんしゅう》で バイト入《い》れられなく なったから
昼間《ひるま》の内《うち》に しっかり 稼《かせ》がねば
デビューの話《はなし》は？ 何《なに》か進展《しんてん》 あった？
べつに 何《なに》も
………

その頃《ころ》あたしは
週《しゅう》の半分位《はんぶんくらい》を
レンの部屋《へや》で
過《す》ごしてたけど
すれ違《ちが》いも多《おお》く
会《あ》えるのは
ほんの束《つか》の間《ま》だつた
二人《ふたり》でいると
求《もと》め合《あ》う衝動《しょうどう》を
抑制《よくせい》出来《でき》ない
あたし達《たち》に
お互《たが》いの事《こと》を
話《はな》す時間《じかん》は
ほとんどなかつた
ピッ
でも その方《ほう》が
いいと
思《おも》つていた
ガー…
バババババ…
…
グオン
気《き》まずくなる
よけいな話《はなし》まで
しなくて済《す》んだから
RPM

パシャッ
G.T.350
500 8.0 [▪▪] -2 1 1 2+
グオオオオオ…

TVS
え?
まだいるの?
しつこいよねーー
引《ひ》っ越《こ》そーかなーー
え? 何《なに》? パパラッキョ?
ラッキョじゃねえ!
おれが言《い》ってんのは女《おんな》の話《はなし》だ!
帰《かえ》らせろっつったろ!
ラッキョって聞《き》くとカレーが食《く》いたくならない?
え?
カレーには福神《ふくじん》漬《づ》けでしょーー?
え? カレーにはやっぱり生《なま》たまごだよねタクミ
おれは そんな庶民《しょみん》の食《く》い物《もの》は食《く》わん!

ビッ
BEEF CURRY
カレーは開封《かいふう》してお鍋《なべ》で温《あたた》めて
……
少《すく》なくなって来《き》たら一《ひと》パックずつ補充《ほじゅう》してね
焦《こ》げつかせないように充分《じゅうぶん》気《き》をつけて
ご飯《はん》は炊《た》き上《あ》がってるから
カチャッ
これを小皿《こざら》に少《すこ》しずつ取《と》り分《わ》けて
小松《こまつ》さん？
ガタ

申《もう》し分《わ》けありません
しょうがないわよ 体調悪《たいちょうわる》いんじゃね
お客様《きゃくさま》が入《はい》る前《まえ》で良《よ》かったわ
ほんとにすいません…
夏《なつ》バテなんて侮《あなど》ってないで お医者《いしゃ》さん行《い》った方《ほう》がいいわよ?
はい…
パ――…
ざわ
ざわ

クスリ 薬局
コン

食《く》ってんじゃん
………
しかも社員食堂《しゃいんしょくどう》で
庶民カレー
普段《ふだん》は忘《わす》れてるのにうっかり思《おも》い出《だ》すと無性《むしょう》に恋《こい》しくなるのはなんでだ？
なんだかんだ言《い》って好《す》きなんじゃん
………
早《はや》く終《お》わんねえかな
何《なに》が？

夏休《なつやす》み
あと3日《か》か
夏休《なつやす》みなんて長《なが》いようであっという間《ま》ですね
せめてデビューの話《はなし》がもう少《すこ》し具体化《ぐたいか》してくれれば心置《こころお》きなく帰《かえ》れるんですけど
契約《けいやく》してもう一《いっ》か月《げつ》も経《た》つのに未《いま》だに所属事務所《しょぞくじむしょ》も決《き》まらないなんて…
でもまだ仮契約《かりけいやく》だからね

美里《みさと》は　その仮契約《かりけいやく》の意味《いみ》が　いまいちよく分《わ》からないんですが
本契約《ほんけいやく》と　どう違《ちが》うんですか？
結婚前《けっこんまえ》の婚約《こんやく》みたいなもんじゃない？
……
出来《でき》るだけ大規模《だいきぼ》な披露宴《ひろうえん》をプロデュースする為《ため》に川野《かわの》さんが今《いま》資金《しきん》や人手《ひとで》を集《あつ》める努力《どりょく》をしてくれてるんだよ
その間《あいだ》　他《ほか》からデビューの話《はなし》が来《き》ても浮気《うわき》しないでくれって契約《けいやく》で
そのかわり僕《ぼく》らはガイアの自社《じしゃ》スタジオを自由《じゆう》に使《つか》わせてもらえて花嫁修業中《はなよめしゅぎょうちゅう》ってわけだ
なるほど
ようやく理解《りかい》出来《でき》ましたよ
さすがですねシン！
あたまよすぎです
美里《みさと》ちゃんさ
僕《ぼく》より年上《としうえ》なのになんで敬語《けいご》使《つか》うの？
シンは　あたしより年下《としした》なのに　なんで高三《こうさん》の宿題《しゅくだい》が解《と》けるんですか？
IQいくつ？
手伝《てつだ》えるのは英語《えいご》だけだよ
他《ほか》はヤッさんにでもやってもらったら？
やっぱり

やっぱり？
その美白美麗《びはくびれい》な顔立《かおだ》ちはハーフですよね
ビハクビレイ？
隠《かく》しても美里《みさと》には分《わ》かります！だから英語《えいご》が出来《でき》るんですね？
むしろ日本語より得意なのでは？
英語《えいご》が出来《でき》るのは外国育《がいこくそだ》ちだからだよ
両親共《りょうしんとも》日本人《にほんじん》だ
え？外国育《がいこくそだ》ち？
ってどこ？
てゆーかハーフじゃないんですか？
その顔で？
納得《なっとく》いかない？
いかないですよっ
僕《ぼく》もいかないよ
産《う》まなきゃよかったんだ

妊娠検査薬
一回用
スピード判定
⊕陽性
⊖陰性

うわっ
すっげ―――豪邸《ごうてい》！
小《ち》さい小《ち》さい！
ブラストのナナ様《さま》が将来《しょうらい》建《た》てる家《いえ》はこんなもんじゃねえぞ
見《み》てろよ大魔王《だいまおう》！
がははは
おまえも すっかり魔王《まおう》の信者《しんじゃ》だな
あの頃《ころ》あたしには譲《ゆず》れない夢《ゆめ》があって

おかげで
沢山《たくさん》のものを
手《て》に入《い》れ
かけがえの
ないものを
失《な》くした
だけど
がむしゃらに
生《い》きたから
もう何《なに》も
悔《く》やんでなど
いない
ただ
心残《こころのこ》りは
ひとつだけ

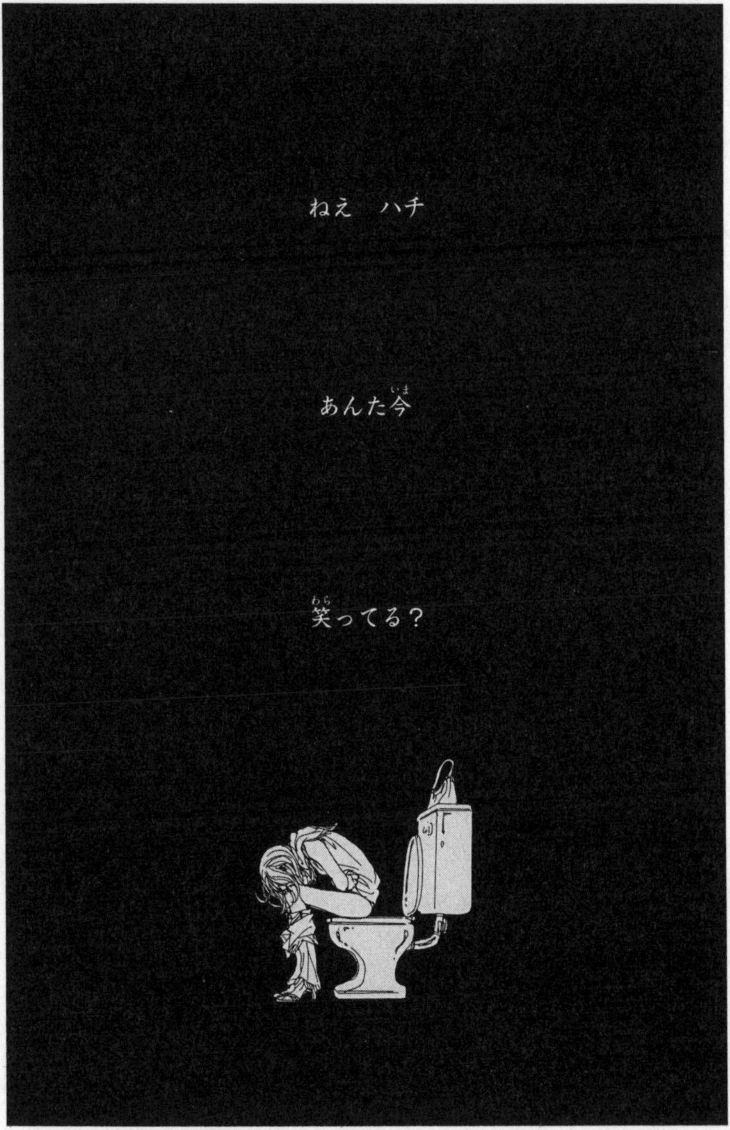
ねえ　ハチ
あんた今《いま》
笑《わら》ってる？

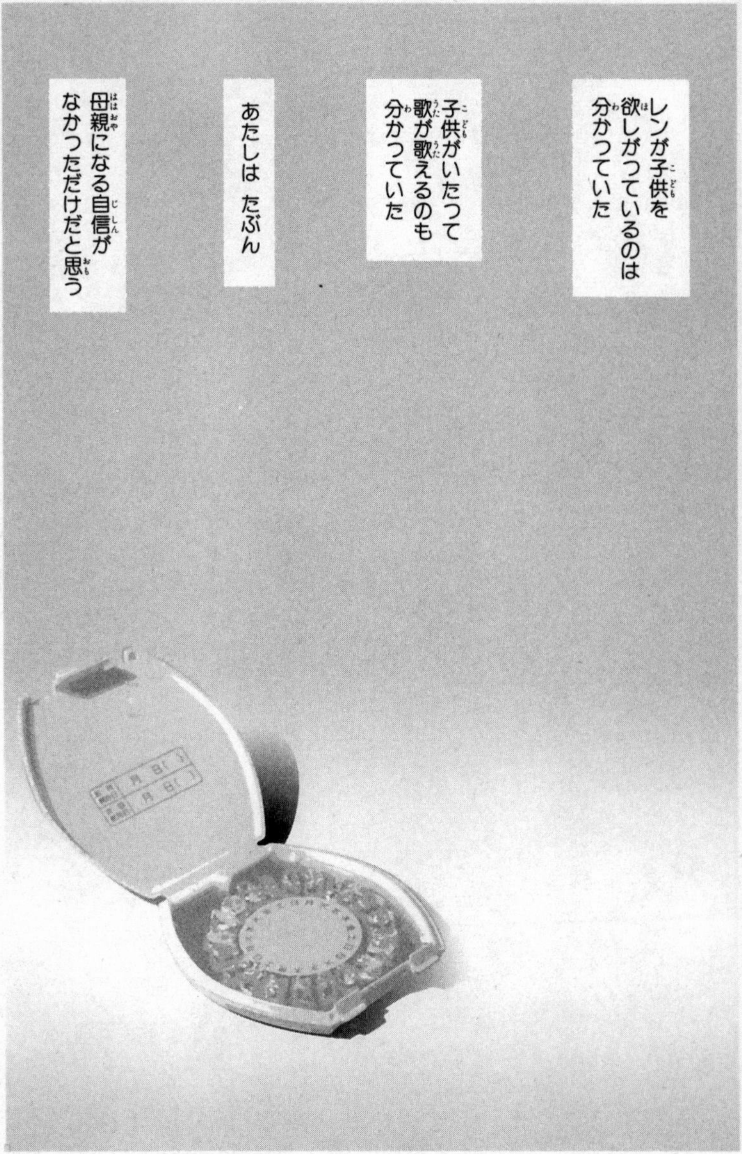

レンが子供《こども》を欲《ほ》しがっているのは分《わ》かっていた
子供《こども》がいたって歌《うた》が歌《うた》えるのも分《わ》かっていた
あたしは　たぶん
母親《ははおや》になる自信《じしん》がなかっただけだと思《おも》う

NANA
ナナ
[第《だい》26話《わ》]

08/29/ 20:03
レン
1:00AMから
「みなしごハッチ」録画しといて♡
また来《き》てるよ
てめえが呼《よ》んだんだろ!
ハッチがどしたって〜?
録《と》ってくれた?ビデオ♡
毎日《まいにち》くだらねえ口実《こうじつ》作《つく》って呼《よ》びつけやがって!
くだらねえとはなんだ同《おな》じ みなしご仲間《なかま》じゃねえか

おまえ観《み》たら 絶対《ぜったい》泣《な》くって
特に最終回 ママがフワフワでさ♡
一人《ひとり》で泣《な》け！ あたしは寝《ね》る！
ガシャッ
……
あ おはようございます ハチ子《こ》さん
具合《ぐあい》どうですか？
うん ごめんね 心配《しんぱい》かけて
ただの夏《なつ》バテだと思《おも》うけど 念《ねん》の為《ため》病院《びょういん》行《い》ってみるよ
早《はや》く治《なお》さないと バイトも行《い》けないしね
それがいいですよ！ 美里《みさと》もご一緒《いっしょ》します！
何《なに》言《い》ってるの 美里《みさと》ちゃんは今日中《きょうじゅう》に宿題《しゅくだい》片付《かたづ》けなきゃダメでしょ！
言《い》わないで下《くだ》さい それを〜〜〜

じゃあ しっかり がんばってね
帰《かえ》ったら また 手伝《てつだ》うから♡
ありがとう ございます
あと くれぐれも ナナ達《たち》には あたしがバテてる事《こと》 知《し》らせないでね
デビュー控《ひか》えて大事《だいじ》な 時《とき》なのに よけいな心配《しんぱい》 かけたくないから
でも美里《みさと》も明日《あした》 帰《かえ》っちゃうし一人《ひとり》で 心細《こころぼそ》くないですか？
ナナさんにだけでも 話《はな》して頼《たよ》られた方《ほう》が いいと思《おも》いますけど
ありがとう
でも 大丈夫《だいじょうぶ》
産科・婦人科
中里医院

小松《こまつ》さーーん
どうぞーー
尿検査《にょうけんさ》の結果《けっか》は陽性《ようせい》ですね
最後《さいご》に生理《せいり》が来《き》たのはいつですか？
7月《がつ》16日《にち》から…5日《か》間《かん》位《くらい》です
ご懐妊《かいにん》の場合《ばあい》
出産《しゅっさん》を希望《きぼう》されていますか？

……
まずは内診《ないしん》いたしましょうね
左手《ひだりて》のドアの向《む》こうの部屋《へや》へどうぞ
小松《こまつ》さんどうぞ
下着《したぎ》を脱《ぬ》いで診察台《しんさつだい》に上《あ》がって下《くだ》さい
スカートははいたままでいいですよ
あ
はい…
コト…

そーゆー わずらわしい話《はなし》なら かんべんしてね
カチャ
小松《こまつ》さーん
力《ちから》を抜《ぬ》いて下《くだ》さいね――
カチャ…
カチャ カチャ
信《しん》じて待《ま》ってる

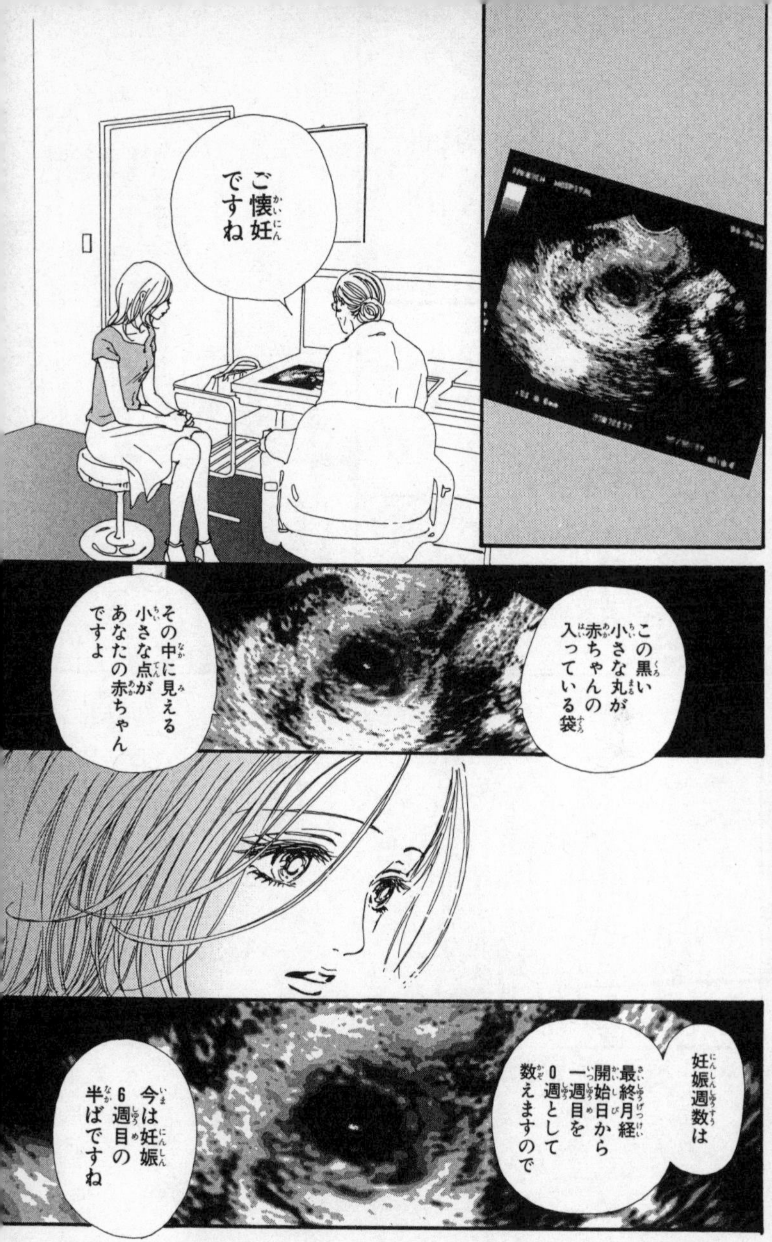
ご懐妊《かいにん》ですね
この黒《くろ》い小《ちい》さな丸《まる》が赤《あか》ちゃんの入《はい》っている袋《ふくろ》
その中《なか》に見《み》える小《ちい》さな点《てん》があなたの赤《あか》ちゃんですよ
妊娠週数《にんしんしゅうすう》は最終月経《さいしゅうげっけい》開始日《かいしび》から一週目《いっしゅうめ》を0週《しゅう》として数《かぞ》えますので
今《いま》は妊娠《にんしん》6週目《しゅうめ》の半《なか》ばですね

出産《しゅっさん》を希望《きぼう》される場合《ばあい》は2週間後《しゅうかんご》に再《ふたた》び検診《けんしん》にいらして下《くだ》さい
中絶《ちゅうぜつ》される場合《ばあい》は一日《いちにち》も早《はや》い方《ほう》があなたの体《からだ》の為《ため》にいいですよ
写真《しゃしん》を持《も》ち帰《かえ》られますか？

はい……
東京駅
え？外国育《がいこくそだ》ち？
ってどこよ

それは聞《き》きそびれたのですが
やっぱりナナさんもご存知《ぞんじ》なかったんですか
知《し》ってた? あんた
さわがないね
ううん
あたしも美里《みさと》ちゃんに聞《き》いて一瞬《いっしゅん》びっくりしたけど
シンちゃん七夕《たなばた》も知《し》らなかったし
なんとなく今《いま》まで変《へん》だと思《おも》ってた事《こと》納得《なっとく》がいったよ
あーまあね
でも両親《りょうしん》日本人《にほんじん》ならそれ位《くらい》教えそーなもんだけど…
しょせん家出息子ほったらかすような親だしな……
ご注文《ちゅうもん》はお決《き》まりですか?
あ
決《き》まりました? ハチ子《こ》さん
うん
グレープフルーツジュース
食《く》わないの?
お腹《なか》すいてないから
そう
……
あとミックスサンドとカフェオレ2つずつね
かしこまりました

ナナさん
今夜《こんや》からしばらく自宅《じたく》へ帰《かえ》ること出来《でき》ませんか?
実《じつ》はハチ子《こ》さんここのとこ体調《たいちょう》が優《すぐ》れなくて…
そーなの?
それで元気《げんき》ねえのかよ
あでもただの夏《なつ》バテだし大丈夫《だいじょうぶ》!
お医者《いしゃ》さんもそう言《い》ったし!
医者《いしゃ》行《い》く程《ほど》悪《わる》いの?
全然《ぜんぜん》大丈夫《だいじょうぶ》じゃねえじゃん!
え?
お医者《いしゃ》さんが大丈夫《だいじょうぶ》って言《い》うんだから大丈夫《だいじょうぶ》だよ
いやそーゆー問題《もんだい》じゃなくてさ
分《わ》かったよ美里《みさと》
今夜《こんや》から家戻《いえもど》るから心配《しんぱい》すんな
………
はい
ありがとうございます
あ
それとナナさん心配《しんぱい》って言《い》えば
さっきのシンの話《はなし》の続《つづ》きなんですけど…

美里《みさと》…
シンはハーフだと思《おも》ってたのに両親《りょうしん》日本人《にほんじん》なのは納得《なっとく》がいかないってつい軽《かる》い気持《きも》ちで言《い》っちゃって…
そしたらシンが僕《ぼく》も納得《なっとく》いかないって…
産《う》まなきゃよかったんだって言《い》ったんです
事情《じじょう》は…よく分《わ》かりませんけど…
なんか その考《かん》え方《かた》って
自分《じぶん》の存在《そんざい》を否定《ひてい》する事《こと》に繋《つな》がるんじゃないかって
ハチ子《こ》さんと話《はな》してたんですけど……
カラ…
迎《むか》えに来《く》るからねナナ

すぐに迎《むか》えに来《く》るから
いや
親《おや》を否定《ひてい》するのと
自分《じぶん》を否定《ひてい》するのは
別問題《べつもんだい》だよ
シンだってもう
ガキじゃねえんだし
自分《じぶん》の存在意義《そんざいいぎ》位《ぐらい》
自分《じぶん》で見出《みいだ》せるだろ
そうでしょうか…
自分《じぶん》の運命《うんめい》なんか
自分次第《じぶんしだい》で
どうとでもなるしさ
レンの受《う》け売《う》りだけど
今《いま》はバンドで
デビュー目指《めざ》して
がんばるっつー
生《い》きがいも
あるわけだし
あ
そーですよね!
生きがい!
おまたせしました

美里《みさと》もブラストの追《お》っかけという生《い》きがいを見《み》つけてから人生《じんせい》バラ色《いろ》です！
バラ色！
それじゃあナナさんハチ子《こ》さん
本当《ほんとう》に お世話《せわ》になりました
メンバーのみなさんにもよろしくお伝《つた》え下《くだ》さい
元気《げんき》でね美里《みさと》ちゃん
また いつでも泊《と》まりに来《き》てね
絶対《ぜったい》 日本一《にほんいち》のバンドになるからさ
あんたの生《い》きがいの為《ため》にも

なんだよ 泣《な》くなよ
しょーがねえなあ
わざーと泣かせた？ もーナナはっ
美里《みさと》は中学《ちゅうがく》の時《とき》から ライブハウスに いつも一人《ひとり》で来《き》てて
あたしは それがずっと 気《き》がかりだった
地元《じもと》じゃ親《おや》とも友達《ともだち》とも 上手《うま》くやれないんだと思《おも》う
だけど 他人《たにん》が聞《き》いたら あきれるような事《こと》を
大声《おおごえ》で 生《い》きがいって言《い》う あんたに
あたしが どれだけ 支《ささ》えられてるか
分《わ》かってね 美里《みさと》

コン…
しかし シンの家《いえ》の 事情《じじょう》ってさ
かーちゃんが 現地《げんち》の男《おとこ》と 浮気《うわき》して出来《でき》た 子供《こども》がシンで
家庭崩壊《かていほうかい》 したと思《おも》うのは あたしだけ？
どうだろうね
そういう風《ふう》に考《かんが》え られなくもないけど…
でも だとしたら なんで産《う》むかな
どっちの子《こ》が 生《う》まれるか 大《おお》バクチだろ
しかも 負けてるし
たとえ その浮気相手《うわきあいて》が 避妊《ひにん》してくれてたとしても いまいち安心出来《あんしんでき》なくない？
あんな理性《りせい》を失《うしな》ってる 最中《さいちゅう》の人間《にんげん》のやる事《こと》なんか 適当《てきとう》になりがちじゃん？
と思うのはあたしだけ？
つーか事情《じじょう》は どーあれ シンの親《おや》が無責任《むせきにん》な事《こと》は 違《ちが》いねえし
………
まともに 育《そだ》てられねえん なら産《う》むべきじゃ ねえんだよ
世《よ》の中《なか》 ふざけた母親《ははおや》が 多《おお》すぎるよ

4つの時《とき》から会《あ》ってないから
男《おとこ》作《つく》って蒸発《じょうはつ》したんだよ
べつにふざけて産《う》んだわけじゃないと思《おも》うよ…
ちゃんと育《そだ》てられなかったのは きっと色々《いろいろ》やむをえない事情《じじょう》があったからで…
子供《こども》が出来《でき》たら産《う》んで育《そだ》てたいと思《おも》うのは当然《とうぜん》だもん
え?
なんで当然《とうぜん》なの?
………
え?
なんでって…

分《わ》かんないけど……
母《ぼ》性《せい》本《ほん》能《のう》とか…？
大崎《おおさき》さ——ん
どうぞ——
こないだのお薬《くすり》は まだ残《のこ》ってますよね
どうかしましたか？
いえ
忙《いそが》しくてタイミングよく来《こ》れないかもしれないから今《いま》のうちに もらっとこうかと思《おも》って
忙《いそが》しいなら2か月分《げつぶん》出《だ》しときましょうか？
…………

どうしたの？
あの…
ちょっと変《へん》な事《こと》聞《き》きますけど
母性本能《ぼせいほんのう》って…
あたしよく分《わ》からないんですけど…
普通《ふつう》は誰《だれ》にでもあるものなんですか？
あるんじゃないかしら
女性《じょせい》の本能《ほんのう》ですからね
ただ備《そな》わっているからといって誰《だれ》もが発揮《はっき》出来《でき》るとは限《かぎ》らないわよね
何事《なにごと》もそうじゃない？

状況《じょうきょう》や必要《ひつよう》に応《おう》じて
呼《よ》び覚《さ》まされるものなんじゃないかしら
じゃあ例《たと》えば今《いま》
もしレンの子供《こども》が出来《でき》たとしたら
プロデビュー控《ひか》えててあたしは絶対《ぜったい》困《こま》るのに
産《う》みたいなんて思《おも》ったりするのかな
レンの為《ため》じゃなく自分《じぶん》の本能《ほんのう》で

GAIA
GAIA LESSON STUDIO
そんなの ありえねえよ
おなか 痛《いた》い……
なんで そー 毎日毎日《まいにちまいにち》 腹《はら》が痛《いた》く なるんだ てめえは！
そんなに練習《れんしゅう》が嫌《いや》か！
ゲしっ
……
もー 嫌《きら》いだよ ナナさんなんか！
ハチなら絶対《ぜったい》 優《やさ》しくして くれるのに！

ハチに会《あ》いたい！なんでスタジオに来《き》てくれないの？
だから遠慮《えんりょ》してんだってここは遊《あそ》び場《ば》じゃねえんだから
川野《かわの》さんはべつにいいって言《い》ったじゃん！
いいって言《い》われたって来《き》にくいだろ普通《ふつう》
ノブさんばっかりハチの事《こと》独《ひと》り占《じ》めしてズルイよ！
おれだって花火大会《はなびたいかい》の日《ひ》以来《いらい》会《あ》ってねえんだよ！
もー9日も！数えちゃったし！
え？
なんで？
毎日《まいにち》遅《おそ》くまでバンドの練習《れんしゅう》で昼《ひる》はお互《たが》いバイトだし
会《あ》う時間《じかん》ねえんだよ
でもこないだまで毎晩《まいばん》のように夜這《よば》いに来《き》てたじゃん
そのたびボクのことしめだして……
呼《よ》んでも来《こ》ねえし
なんで？
生理《せいり》じゃねえの？
ああ
納得

つーか おまえ今日《きょう》 奈々《なな》ちゃんと一緒《いっしょ》に 美里《みさと》ちゃん見送《みおく》りに 行《い》ったんだろ？
強引《ごういん》に 連《つ》れてくりゃ よかったのに
おれも なに気に 会いたいし
いや なんか 具合《ぐあい》 悪《わる》そ―― だったから
会いたいんだ
なんだよ具合《ぐあい》 悪《わる》いって！
聞いてねえぞ！
ただの 夏《なつ》バテだよ
医者《いしゃ》も そう言《い》った らしいし 大丈夫《だいじょうぶ》だろ
医者《いしゃ》行《い》く程《ほど》 悪《わる》いの!?
お先《さき》に
日本一《ニッポンイチ》に なりたきゃ 親《おや》の死《し》に目《め》にも 会《あ》えねえ 覚悟《かくご》でやれ！
鬼コーチみたいだ……
嫌だこんな体育会系バンド……
こらシン！ どこへ行《い》く！
お腹《なか》 痛《いた》いん だってば！
TOILET ⇨
7

やる気《き》あんのかよ　あいつは
まったくも〜
便所《べんじょ》ぐらい好《す》きに行《い》かせてやれよ
お前《まえ》には人《ひと》をいたわる気持《きも》ちが絶対《ぜったい》欠《か》けてるぞ！
おまえらには人《ひと》を疑《うたが》う気持《きも》ちも欠《か》けてるけどな
え？
ハチ子が心配じゃねえの？
それともシンはニコチンが切《き》れると腹《はら》が痛《いた》くなる特異体質《とくいたいしつ》か？
おれもつらいのよね
禁煙
禁煙

前《まえ》の安《やす》スタジオに通《かよ》ってた頃《ころ》のが楽《たの》しかったな
タバコ吸《す》えたし
ハチもいたし
だからさ川野《かわの》さん
ギィ…
禁煙
パンクバンドメジャーでヒットさせようなんてやっぱ無謀《むぼう》なんだよ
ジュッ
長年《ながねん》の夢《ゆめ》だったのは知《し》ってるけど
よりによってこの不況下《ふきょうか》にリスク覚悟《かくご》の新人《しんじん》バンドに会社《かいしゃ》が金《かね》出《だ》せないのは当然《とうぜん》だって
でも競合《きょうごう》バンドもいないし当《あ》たるとデカイぞ
ボーカルのナナの佇《たたず》まいは秀逸《しゅういつ》だろ
たしかにビジュアルは総合的《そうごうてき》にいいけど
今時《いまどき》ボンデージはいたパンクスなんか時代錯誤《じだいさくご》もはなはだしいって
……
ボンデージ→

でも10代位《だいくらい》の子《こ》には
逆《ぎゃく》に新鮮《しんせん》だったりしないかな
おれも若《わか》い頃《ころ》
はいてたんだよ
ノスタルジ〜
いや 服装《ふくそう》は
ともかくね
そんなのは
スタイリストつけて
今時《いまどき》のカッコさせりゃ
あかぬけるだろうし
そんなの嫌《いや》だ！
肝心《かんじん》の
サウンドがね——
悪《わる》かないけど
フツーでしょ
ボーカルも
ビミョーだし
ライブじゃウケてても
CD《シーディー》にしたら
そんなにインパクト
ないって
そこは
ディレクターの君《きみ》の
腕《うで》の見《み》せ所《どころ》だろ
なんとか
してやってよ
松尾《まつお》くん
売《う》り出《だ》す金《かね》も
動《うご》かないんじゃ
やる気《き》出《で》ないよ
早《はや》いとこ
あきらめてよね
ここは遊《あそ》び場《ば》じゃねえんだから

はあ…
うっ…
まともに育《そだ》てられねえんなら産《う》むべきじゃねえだろ
ふざけた母親《ははおや》が多《おお》すぎるよ

新メッセージが
あります
メール未読　01件
受信メール
09月01日　00：05
ノブ
帰宅中
練習終わった。体調悪いんだって？まだ起きてるなら見舞いに行くから電話ちょーだい。
中絶《ちゅうぜつ》するなら一日《いちにち》も早《はや》い方《ほう》がいいですよ
コト…
ピンポーン
今夜《こんや》から家《いえ》戻《もど》るから
ごしごし

ピンポーン
カッ
カッ
カッ
707
相手を 確認せずに
ドアを開けるクセは直しましょー。
……
ナナ?
おれ

カタ…
奈《な》々《な》……
開《あ》けてよ
……
お願《ねが》い開《あ》けて

あ――
ヤバイ!
人《ひと》が来《く》る!
カチャ
キ
信《しん》じるなよ
おれの言《い》う事《こと》なんか
何《なに》しに来《き》たの?
帰《かえ》って!

こーゆー時《とき》
帰《かえ》りたくない場合《ばあい》はどうすりゃいーの？

カツ…
げほっ…

こら……
しゃれになってねえぞそれは…
嫌がらせか——?
うっ……
はぁ…
うっ…
おい……
けほっ
大丈夫《だいじょうぶ》かよ……
かた…
医者《いしゃ》行《い》く?
…………
パシャ パシャ パシャッ

つわり？
ナマでやっちゃったもんねえ
産《う》んだりしないから安心《あんしん》して！
タクミが責任感《せきにんかん》じる事《こと》ないから…
あたしがバカなんだし…
もしかしたら彼氏《かれし》の子《こ》かもしれないし…
帰《かえ》って…
もう来《こ》ないで…
彼氏《かれし》ってノブ？

そう
分《わ》かったよ
カッ!
カッ
カッ
カッ
カッ
バタン

ずっと おれのものでいてよ
ぺた…
ぺた…
ぺた…
ガチャ
ガチャ

タクミ……？
ピッ…
アカサタナ検索
1.ア行
2.カ行
3.サ行
4.タ行
5.ナ行
何《なに》してるの…？
ピッ
……
電話《でんわ》…？
ピ
ピ
ねえ…
奈緒
中村
ナナ
奈美
タクミ…
ピ
ピ
ピ
………
ピ
ピ
ピ
ノブ
ピッ
ノブには言《い》わないで！

にんにくしょーゆづけ
やっぱ夏《なつ》バテにはニンニクだろう
つーかあんたも来《く》る気《き》なの？
電話《でんわ》来《こ》ねぇんなら寝《ね》てるって
せめて寝顔《ねがお》を……
♪ピルルル〜
ハチ♡
テレパシー？
分《わ》かったから早《はや》く出《で》ろよ！
うざすぎっ
あ
ノブ――？
タクミだけど――

……
どした?
おい
聞《き》こえてる——?
はい…
奈々《なな》にガキが出来《でき》た
どっちの子《こ》だか知《し》んないけど

べつに どっちの子《こ》でも
奈々《なな》が産《う》みたいんなら
おれは認知《にんち》して面倒《めんどう》見《み》てやろうと思《おも》うんだけどさ
おまえはど——思《おも》う?

あのさ　ハチ
自分《じぶん》の人生《じんせい》は自分《じぶん》次第《しだい》だって
あたしは今《いま》もそう思《おも》ってる

だけど人《ひと》は誰《だれ》しも
そんなに強《つよ》くはなれない事《こと》
認《みと》められるようになった分《ぶん》
あの頃《ころ》より優《やさ》しくなれたよ

「トラップネスト」の意味《いみ》は

――罠《わな》のある巣箱《すばこ》――

一度《いちど》入《はい》ると
自力《じりき》では抜《ぬ》け出《だ》せなくなる

支配欲《しはいよく》の強《つよ》い男《おとこ》の
考《かんが》えそうな名前《なまえ》だと思《おも》った

NANA
ナナ
[第《だい》27話《わ》]

08/31/ 15:32
ナナ
ハチ子が夏バテの為
しばらくそっちには行けません。でもあんたも明日からレコーディングでカンヅメでしょ?まあ、がんばれよ。
本城《ほんじょう》さん
すいません
ご自宅《じたく》に着《つ》きましたけど……
ここの車庫《しゃこ》どーやってシャッター開《あ》けるんスか?

ああ そこに 鍵《かぎ》を…
鍵《かぎ》？
カード キーを… 差《さ》し込《こ》んでだな…
めんどくせえよな
つーか木下《きのした》 おまえ どーやって 帰《かえ》んの？
あーー なんか テキトーに
もー終電《しゅうでん》 出《で》たんじゃね？
タクシー 拾《ひろ》うんで
これ 転《ころ》がして 帰《かえ》れば？
え？
いーんスか？
それで また明日《あした》 迎《むか》えに来《き》てくれたら うれしいかもーー♡
全然《ぜんぜん》オッケーっスよ！
なんなら おれ事務所《じむしょ》の車《くるま》で 毎日送迎《まいにちそうげい》やりますから！
このハードスケジュールで マイカー通勤《つうきん》は絶対《ぜったい》 危《あぶ》ないって！
万《まん》が一《いち》 事故《じこ》って この車《くるま》が スクラップにでも なったり したら…

おれより車《くるま》の心配《しんぱい》かよ
だって65年型《ねんがた》のシェルビーって…
激レア!
おれは車《くるま》なんか動《うご》きゃなんでもよかったのに タクミが わざわざ探《さが》して来てさ
なんか本城《ほんじょう》さんてこー……
せっかく金《かね》も才能《さいのう》もあるのに欲《よく》がないっスよね
イメージがどしたらニーたら
曲《きょく》だってタクミさんの注文通《ちゅうもんどお》り書《か》いて来《く》るし
おれは やっぱ本城《ほんじょう》さんはパンクやってこそ本領発揮《ほんりょうはっき》って気《き》がするんですけど
ピストルズのトリビュートもめちゃめちゃよかったし
おれはギターさえ弾《ひ》けりゃなんでもいーのよ
おれは本城《ほんじょう》レンの魂《たましい》の叫《さけ》びが聞《き》きたいんスけどね!
つーか聴きたい!
ぶあはは
魂《たましい》の叫《さけ》び!
いーぞ木下!
かっこいー~~~♡
~~~~
ゲラゲラ
まあタクミさんの言《い》いなりなのは本城《ほんじょう》さんやメンバーに限《かぎ》った事《こと》じゃないけど
~~~~

ここだけの話《はなし》
みんな言《い》って
ますよ——
「おれたちゃ
全員《ぜんいん》タクミの
兵隊《へいたい》だ」って
みんなって
誰《だれ》よ
や
でも タクミさんは
それだけ実力《じつりょく》も
決断力《けつだんりょく》もあるし
デカイ事《こと》いっても
有言実行派《ゆうげんじっこうは》
ですからね
おれは尊敬《そんけい》
してますけど
みんなに
言《い》っとけ
タクミの やり方《かた》が
不満《ふまん》なら辞《や》めりゃあいい
一緒《いっしょ》に戦《たたか》う
気《き》がねえ
兵隊《へいたい》は
いらねえん
だよ

FR
D08月31日　23：25
Sパパラッチがウザくて―
今夜もいつものホテルのいつもの部屋に隠れてます。気が向いたら来てねー♡
歌詞《かし》ができないの──
お題《だい》は泣《な》けるラブバラード
僕《ぼく》に言《い》われてもね──

だいたいウケるからって理由《りゆう》だけでどーしていつもラブソングにしなきゃいけないの？
どーして日本人《にほんじん》はそんなにも恋物語《こいものがたり》が好《す》きなの？
世界平和《せかいへいわ》がテーマじゃいけないの？
だからって書《か》けるわけじゃないけど！
うう～
どーしよーーー
明日《あした》からレコーディングなのにーーー
正確《せいかく》には今日《きょう》からでしょ？
2001 9/1
MONTH DATE
0:17 01
シンちゃん…
なんで今日《きょう》そんなに冷《つめ》たいの？
そう？
いい子《こ》にしてる事《こと》にくたびれたからかな
いい子《こ》？
どのへんが？

この一《いっ》か月《げつ》サボらず練習《れんしゅう》に行《い》って
スタジオの禁煙《きんえん》も守《まも》って
ディレクターの言《い》う通《とお》りに音《おと》も直《なお》して来《き》たけど
つまらなくなる一方《いっぽう》だ
え!?
ガイアのリハーサルスタジオって禁煙《きんえん》なの?
普通《ふつう》はレコーディングスタジオでさえ吸《す》えるよ?
そんなとこ使《つか》うミュージシャンいるの?
レンやタクミならソッコーキレるよ
レッスンスタジオだよ
隣《となり》にプロ養成学校《ようせいがっこう》がくっついてて
そこの生徒《せいと》が使《つか》うスタジオ
一般にも貸してるみたいだけど
へ——学校《がっこう》なんかあるんだ
さすがガイアね——
成績優秀《せいせきゆうしゅう》ならデビュー出来《でき》たりするのかな
どうだろうね
興味《きょうみ》ないよ
正直《しょうじき》僕《ぼく》はメジャーデビューなんかどうでもいいんだ
楽《たの》しくバンドがやれたら それでよかったのに
そうよね!
音楽《おんがく》は楽《たの》しむ為《ため》にあるんだもの!
今夜《こんや》はクラブで朝《あさ》まで踊《おど》り狂《くる》って日頃《ひごろ》のウサを晴《は》らそうよ!
バレないように変装するわ!

何言《なに い》ってるんだ
レイラさんは これが仕事《しごと》で それで お金《かね》ももらってるんだから真面目《まじめ》にやらなきゃダメだよ
ほら ちゃんと集中《しゅうちゅう》して
歌詞《かし》に思《おも》ってる事《こと》をぶちまけて日頃《ひごろ》のウサを晴《は》らせばいいじゃない
そーよね――
ヤブ蚊退治《かたいじ》の歌《うた》にしようかな
殺虫剤でシュ♪
ラブバラードなんでしょ?
……
お腹《なか》すかない? ルームサービス頼《たの》んでいい?
僕がかけたらまずいかな
♪
♪
♪
♪

レイラはタクミに
惚《ほ》れてたんだよ

きれいな曲《きょく》…
やっぱりレンは天才《てんさい》だな…
あたしが作《つく》る薄《うす》っぺらな恋物語《こいものがたり》なんかにしたら台無《だいな》しだよ……
そんな事《こと》ないよ

そんな風《ふう》に涙《なみだ》を流《なが》せる人《ひと》の書《か》く歌詞《かし》が薄《うす》っぺらなわけないよ
トラネスが あんなに女《おんな》の子《こ》に支持《しじ》されるのはレイラさんの歌《うた》う恋物語《こいものがたり》に共鳴《きょうめい》してるからだ
さすが お世辞《せじ》が上手《うま》いのね──
僕《ぼく》は これが仕事《しごと》でそれでお金《かね》ももらってるからね
大真面目《おおまじめ》だ

今宵はあなたの部屋で
前へ ⇩ 返信 全員へ返信 転送 フラグ プリント 編集
差出人：ナオキ <xxx000@docomo.ne.jp>
送信日時：2001年8月31日金曜日 16:37
宛先：ヤス <xxx000xxx@00x0.co.jp>
件名：今宵はあなたの部屋で♡
明日からシングルのレコーディングで
一週間はカンヅメにされちゃうから今夜は飲み明かそーぜィ！！
おまえ 他《ほか》に訪《たず》ねる女《おんな》はいねえのか
自意識過剰《じいしきかじょう》だな レンやタクミでさえ あんな好《す》き放題《ほうだい》やってて 大丈夫《だいじょうぶ》なんだから
おまえごときが
大丈夫《だいじょうぶ》じゃねえよ マジやばいって
パパラッキョ張《は》り付《つ》いてんのに ヤスんとこのボーカルの女《おんな》 レンの家《いえ》に入《い》りびたりらしーじゃん？
説教してやってよ
そんな事《こと》したらスキャンダルじゃん
え？

パパラッキョって…
パパラッチ
ほんとか？
うん
メンバー全員《ぜんいん》狙《ねら》われてんのに自重《じちょう》してんのおれ位《くらい》よ
レイラは事務所《じむしょ》が用心《ようじん》してホテルに避難《ひなん》させてるけど
スウィ～トよの？ えこひいきっ
…………
タクミも今日《きょう》ぜ──ったいハチ子《こ》んとこ行《い》ったし
一日中《いちにちじゅう》ソワソワしてて すっ飛《と》んで帰《かえ》ったもん
え？
ハチ子《こ》って…
奈々《なな》ちゃん？
おれ面識《めんしき》ないけど話《はなし》に聞《き》く限《かぎ》り相当《そうとう》やり手《て》っつーかすごい女《おんな》だよね──
………
いきなり会《あ》いたいっつってみたり電話拒否《でんわきょひ》してみたり
かけ引《ひ》き上手《じょうず》な上《うえ》料理上手《りょうりじょうず》で床上手《とこじょうず》ときたらタクミじゃなくても男《おとこ》はハマるって
ヤバすぎるぅ 何者の？
ナオキ… おまえ何《なに》か曲解《きょっかい》してるよ
だいたいあの二人《ふたり》切《き》れたはずだし…
いや── 切《き》れねえだろあれは
タクミがお気《き》に入《い》りの女《おんな》をそー簡単《かんたん》に手離《てばな》すわけねえじゃん
まんまとハチ子の手口にハメられてるとも気づかずバカだね～

ちゃんとケリつけてから来いっつったろ
ついたから来たんだけど
何《なに》黙《だま》ってんの？

何《なん》とか言《い》えよ!
責《せき》任《にん》取《と》んのか手《て》ぇ引《ひ》くのか!
こーしてる間《ま》にもガキは育《そだ》つんだよ!
……
どーしたの?
もしもしハチ公《こう》?
ああナナちゃん?
いたの

……………タクミ？
ちょーど よかったよ おまえにも話《はなし》が あったんだよ
ノブ連《つ》れて 今《いま》すぐ来《こ》れねえ？ 電話《でんわ》じゃラチが あかねえ
来《こ》いって どこに
なんで あんたが ハチ子《こ》の ケータイから かけてんの？
ちょっと 借《か》りてんだよ
今《いま》 おまえん家《ち》に 来《き》てるからさ
家《うち》に何《なに》しに 来《き》てんだよ！
人《ひと》の女《おんな》に ちょっかい 出《だ》すんじゃ ねえよ！
ハチは今《いま》ノブと 付《つ》き合《あ》ってんだから！

知《し》ってるけど
人《ひと》の女《おんな》に手《て》ぇ出《だ》したのはそっちだろ
ハチは?
いるよー?
代《か》われ!
あんたじゃ話《はなし》にならない!
カチャ

奈々《なな》
ナナちゃんが代《か》われって
ゴトッ
なんか話《はな》せる状態《じょうたい》じゃないみたい……
何《なに》したんだてめぇ!
いやナニもしてないんだけどね

とにかく今《いま》すぐ行《い》くから！
近《ちか》くまで来《き》てんだ！
そう
じゃあついでにグレープフルーツとガス入《い》りの水《みず》買《か》って来《き》てくんない？
はぁ!?
絞《しぼ》って飲《の》ますんだよ
つわりが酷《ひど》くて相当《そうとう》辛《つら》そうだからさ
よろしくな
ブツッ

つわり？
グレープフルーツジュース
ただの夏《なつ》バテだし大丈夫《だいじょうぶ》
分《わ》かんないけど
母性本能《ぼせいほんのう》とか？

ノブ……
あんた ハチ子《こ》とヤル時《とき》 ゴム付《つ》けた?
答《こた》えろ!

付《っ》けたよ
毎回《まいかい》？
ああ…
入《い》れる前《まえ》から？
ああ
うそつけ！
ちょっと位《くらい》はナマでやったろ！
やってねえよ！
カシャン…
なんで そんなにクソ真面目《まじめ》なんだよてめえは！

何《なに》言《い》ってんの おまえ…
真面目《まじめ》で 悪《わる》いかよ！
ガキが出来《でき》たって 養《やしな》う金《かね》もねえし 当然《とうぜん》だろ？
タクミの 子《こ》なの…？
おまえが 泣《な》くな！
泣《な》きたいのは おれだ！

あんたの子《こ》じゃないなら そー言《い》えよ！
そしたらハチだって 産《う》んだりしねえよ！
そんな責任逃《せきにんのが》れ みたいな事《こと》 言《い》えるかよ！
ヤッたからには おれの子《こ》である可能性《かのうせい》も 0《ゼロ》じゃねーだろ！
でなきゃ あいつと 会《あ》ったりするわけ ねえし…
それに ハチだって… たぶんタクミの 子《こ》だって 分《わ》かってんじゃ ねえの？
だから タクミに相談《そうだん》したん じゃねえの？
会《あ》うはず ねえんだ…
人《ひと》の女《おんな》に手《て》ぇ出《だ》したのは そっちだろ
どうすれば
いいの？
どうすれば

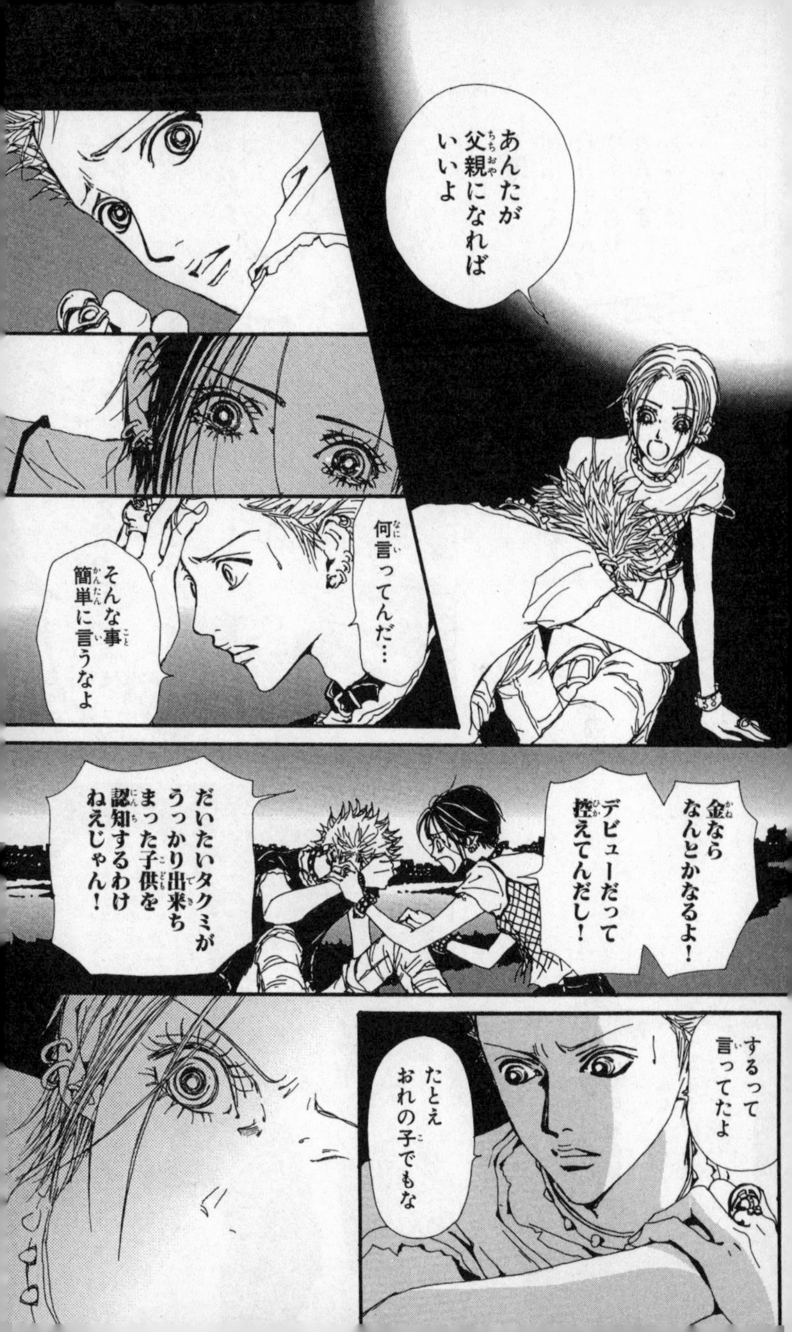
あんたが父親《ちちおや》になればいいよ
何言《なにい》ってんだ…
そんな事《こと》簡単《かんたん》に言《い》うなよ
金《かね》ならなんとかなるよ！
デビューだって控《ひか》えてんだし！
だいたいタクミがうっかり出来《でき》ちまった子供《こども》を認知《にんち》するわけねえじゃん！
するって言《い》ってたよ
たとえおれの子《こ》でもな

そんなのハチを独占《どくせん》する為《ため》の手段《しゅだん》だよ！
子供《こども》を利用《りよう》して自分《じぶん》のもんにするつもりなんだよあの男《おとこ》は！
おまえだってそーじゃねえか！
おれを使《つか》ってハチを自分《じぶん》の物《もの》にしたいんだろ？
もう いいかげんにしてくれよ…
おまえ絶対《ぜったい》おかしいよ……
そんなに言《い》うならおまえが父親《ちちおや》になってやれよ……

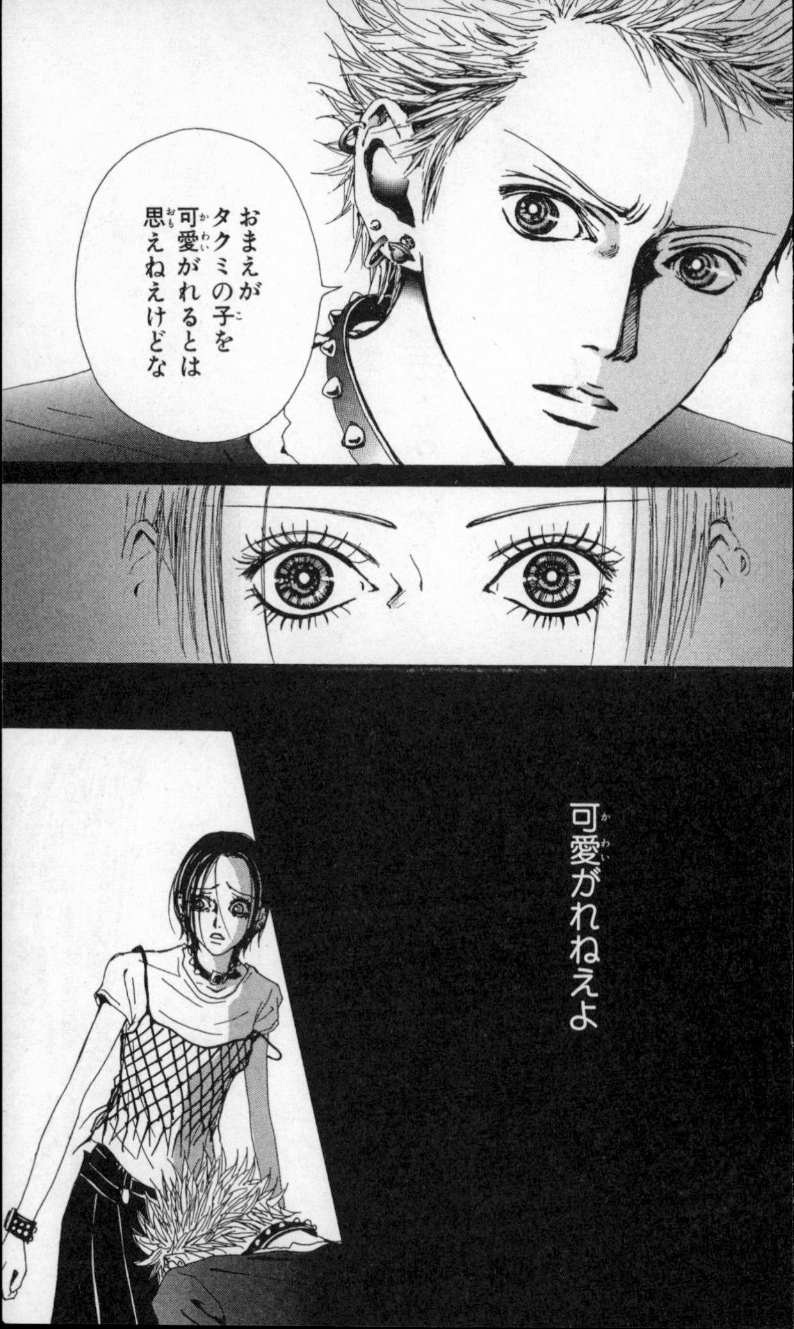
おまえがタクミの子《こ》を可愛《かわい》がれるとは思《おも》えねえけどな
可愛《かわい》がれねえよ

嫌《いや》だ！ 産《う》まないで！
遅《おそ》いね 二人《ふたり》共《とも》
グレープフルーツが 見つからないのか？
………

そんなに思《おも》い詰《つ》めるなって
とりあえず横《よこ》になってろ
流産《りゅうざん》でもしたら大変《たいへん》だ
なんか おまえビミョーに重《おも》くなってない？
普通《ふつう》つわりの時《とき》はやせると思《おも》うんだけど
その前に食いすぎたか
おれの姉貴《あねき》も酷《ひど》かったんだよねつわり
おれが高《こう》2の時《とき》
ハタチでデキちゃった婚《こん》だったんだけど
相手《あいて》の男《おとこ》はマジメな会社員《かいしゃいん》で
おれよりずっとまともな人間《にんげん》なんだけど
なんかムカついてぶんなぐっちゃってさ
ボコボコに
姉貴《あねき》には泣《な》かれるし
レイラにはシスコンだって笑《わら》われるし
さんざんだったよ

そーいや
おまえも今《いま》
ハタチだっけ
ハタチにしちゃ
頼《たよ》りないよね
奈々《なな》は
定職《ていしょく》には
就《つ》かねえし
寂《さび》しいと
すーぐ男《おとこ》と
ヤッちゃうし
あげくの果《は》て
ガキまで出来《でき》て
どーしよも
ねえじゃん
親《おや》が
泣《な》くよ?
おれが
ゆ——な
って感《かん》じ
だけどね
すいません
お父さん

ガキの父親《ちちおや》が誰《だれ》でも
母親《ははおや》は間違《まちが》いなくおまえなんだから
しっかりしろよ?
ピンポーン

やっと来《き》たか

遅《おせ》えよ
逃《に》げたかと思《おも》った
あれ？一人《ひとり》？ナナちゃんは？
知《し》らねえよ
も〜〜〜〜
またレンとこ行《い》ったんじゃねえだろーな
しょ〜がね〜女だな
あ♡
♫
グレープフルーツ見《み》つかった？
は？
にんにくしょーゆづけ
‥‥‥‥
気《き》がきかねえな
も——
いーや おれが買《か》って来《く》るよ
3人《にん》で仲良《なかよ》く相談《そうだん》する話《はなし》でもないしね

選《えら》ぶのは奈々《なな》だ
父親《ちちおや》は二人《ふたり》もいらねえだろ
707

ビクッ
バサッ
奈々《なな》……
ひっく…
子供《こども》が出来《でき》たってほんと？
ひっく…
なあ
ちゃんとおまえの口《くち》から聞《き》きてえんだ
おれの子《こ》かもしれねえし隠《かく》す事《こと》ねえだろ
おまえがタクミと切《き》れたばっかだったのはおれだって知《し》ってたんだし

ごめ…なさい……
なんで謝《あやま》るんだよ……
……

切《き》れてなかったのかよあいつと

弁解《べんかい》してくれよ…
頼《たの》むから…
嘘《うそ》でも……
全部《ぜんぶ》信《しん》じるから……
ごめんなさい……

「繋《つな》いだ手《て》を」
「決《け》して離《はな》さないで」
「震《ふる》えるこの指《ゆび》には赤《あか》い糸《いと》も誓《ちか》いの指輪《ゆびわ》もないけど」

恥《は》ずかしいから読《よ》み上《あ》げないで——
われながらチンプ
ゴーストライターやとおうよ
ねえ「赤《あか》い糸《いと》」って何《なん》の事《こと》？
え？
知《し》らないの——？
運命《うんめい》の相手《あいて》と小指《こゆび》と小指《こゆび》で結《むす》ばれてる見《み》えない糸《いと》の事《こと》だよ♡
……へ——
いかにも女《おんな》の子《こ》が好《す》きそうなネタだね
ハチとか大《だい》好《す》きかも

でも あたしは そんな運命論《うんめいろん》には 興味《きょうみ》ないんだ
人《ひと》と人《ひと》は どんな 関係《かんけい》であれ 信頼《しんらい》で 結《むす》ばれるものだと 思《おも》うから
あ
それが 「繋《つな》いだ 手《て》」？
恋人《こいびと》が出来《でき》ない 負《ま》け惜《お》しみ かな――
いい歌《うた》だよ
ありがとう
シンちゃんの おかげで 元気《げんき》出《で》た
がんばって また ミリオン 売《う》らなきゃ

あのさ ハチ
あたしは あんたに首輪《くびわ》を付《つ》けてでも
自分《じぶん》の足元《あしもと》に繋《つな》いでおきたかった
そんな自分《じぶん》が怖《こわ》くて
いつも わざと少《すこ》しだけ距離《きょり》を置《お》いた

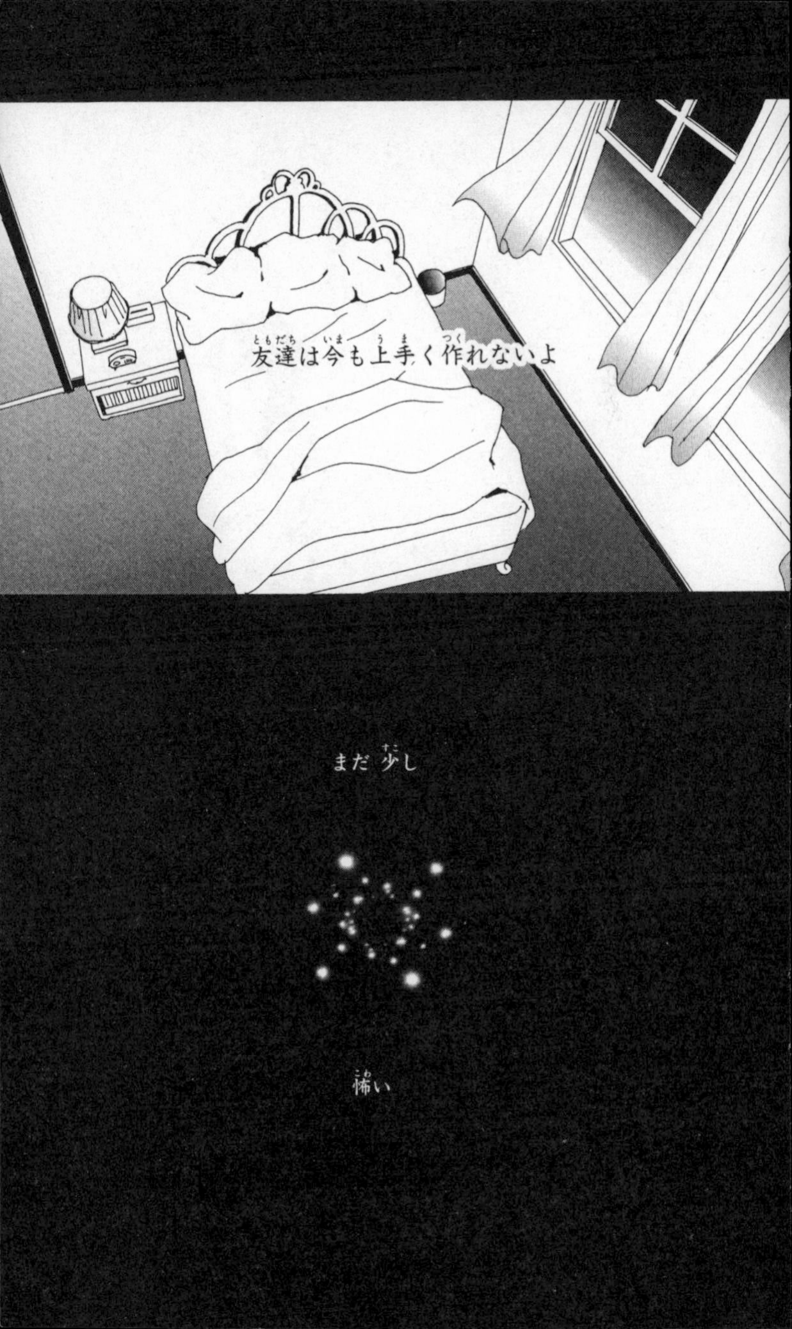
友達《ともだち》は今《いま》も上手《うま》く作《つく》れないよ
まだ 少《すこ》し
怖《こわ》い

もうベッドが狭《せま》いだとか財布《さいふ》を忘《わす》れたとか

適当《てきとう》な嘘《うそ》でごまかす余裕《よゆう》もなかった

あたしが　どうしようもなく寂《さび》しい時《とき》

そばにいて欲《ほ》しいのはレンじゃなかった

NANA
ナナ
[第《だい》28話《わ》]

WAAAAO
いーじゃんボーカル！
どこで見《み》つけたの？
あレンの女《おんな》なんだっけ！
とりゃレンもホレるわ！
ああ……
でもそれ以前《いぜん》にノブの同級生《どうきゅうせい》で…
ガン ガン
いーよ！
顔《かお》といい声《こえ》といいめちゃめちゃかっけーじゃん！
マジでいけるんじゃないの？これは
ヤスがプロ目指《めざ》す気《き》になった理由《りゆう》がやっと分《わ》かったよ
こんな秘密兵器がっ！
いやー
おれはそこまでいけると思《おも》ってねえんだけど
まあナナはソロなら売《う》りようによっちゃ売《う》れるかもな
おまえほんとにやる気《き》あんの？
ピンポーン

誰《だれ》？ こんな 夜中《よなか》に！ レイラ？
スキャンダル発覚？！
近所《きんじょ》からの 苦情《くじょう》じゃ ねえか？
ボリューム 下《さ》げろ
おまえの声も
え？
防音《ぼうおん》じゃ ないの？ ここ
ドラム置《お》いてる 意味《いみ》ね～～～
オブジェ？
せめて ラバーパッド 付けよーよ
はい
すいませんね さわがしくて
ヤス……
誰《だれ》？

キィ
どうした…
………

ヤス
帰《かえ》るね おれ
ああ…
悪《わり》ィな
いや全然《ぜんぜん》！
お邪魔《じゃま》しました！

ピンポーーン
ピッ…
707
F ナオキ
S 大スクープ！
ヤスのとこにレンの女が
泣きながら訪ねて来た！
どーゆーこと？！
きゃーーーーーーーー！！
パパラッキョーーー！！
タクミがハチをハラませた！
タクミの子に決まってる！
ナマでやられたってハチ子言ってたし！
なんだって!?
ナマでやるとはけしからん！
くらっ
告ゲロかよ……
しーーん
707
……
イラッ

カチャ
カシャ
開《あ》いてんじゃん
奈《な》々《な》——?
寝ちゃったの?

奈《な》々《な》？
カチャ…
GITANES

ビビらせんなよ！も〜〜〜〜！
デリケートだって言ってるのに！
つーか ノブは？

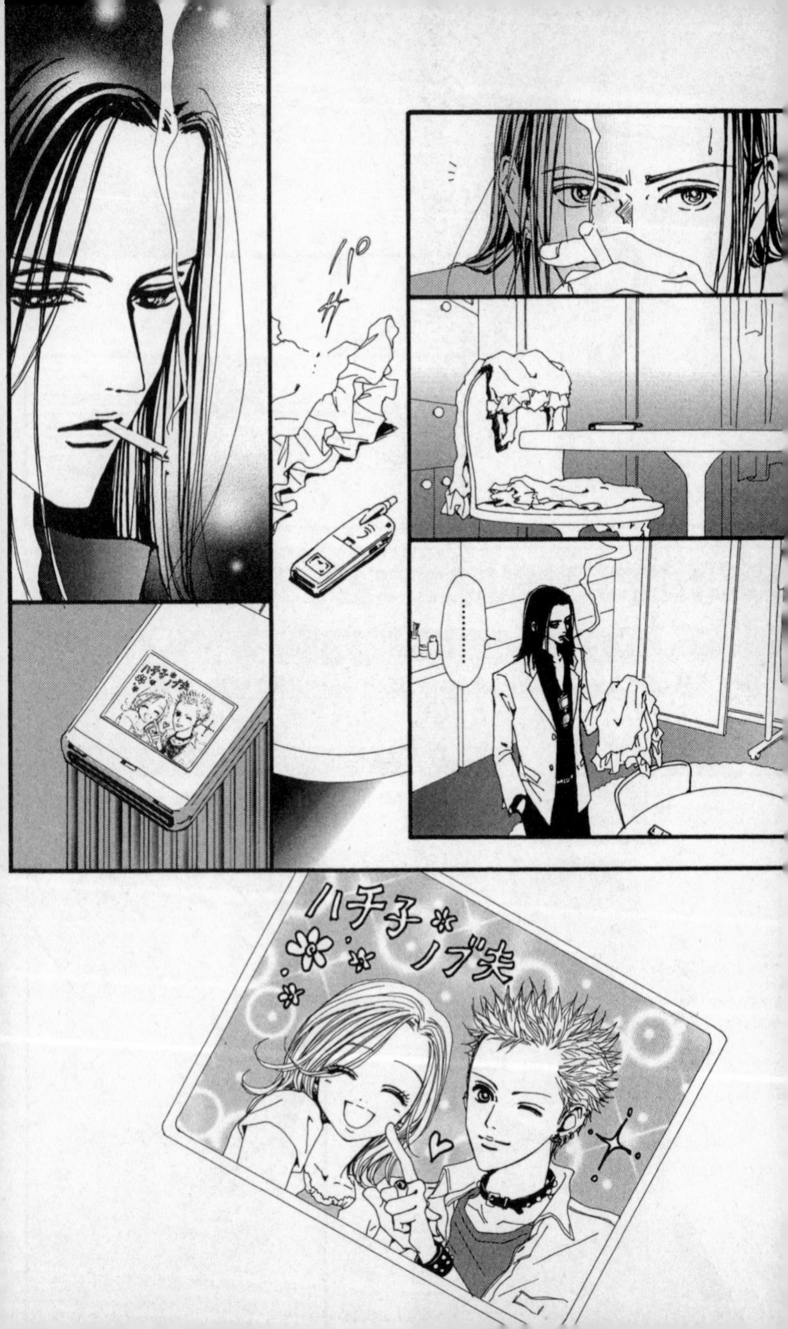
……
パサ
ハチ子
ノブ夫

そんなに
あいつが
好《す》きか
信《しん》じて待《ま》ってる
切《き》れてなかったのかよ あいつと

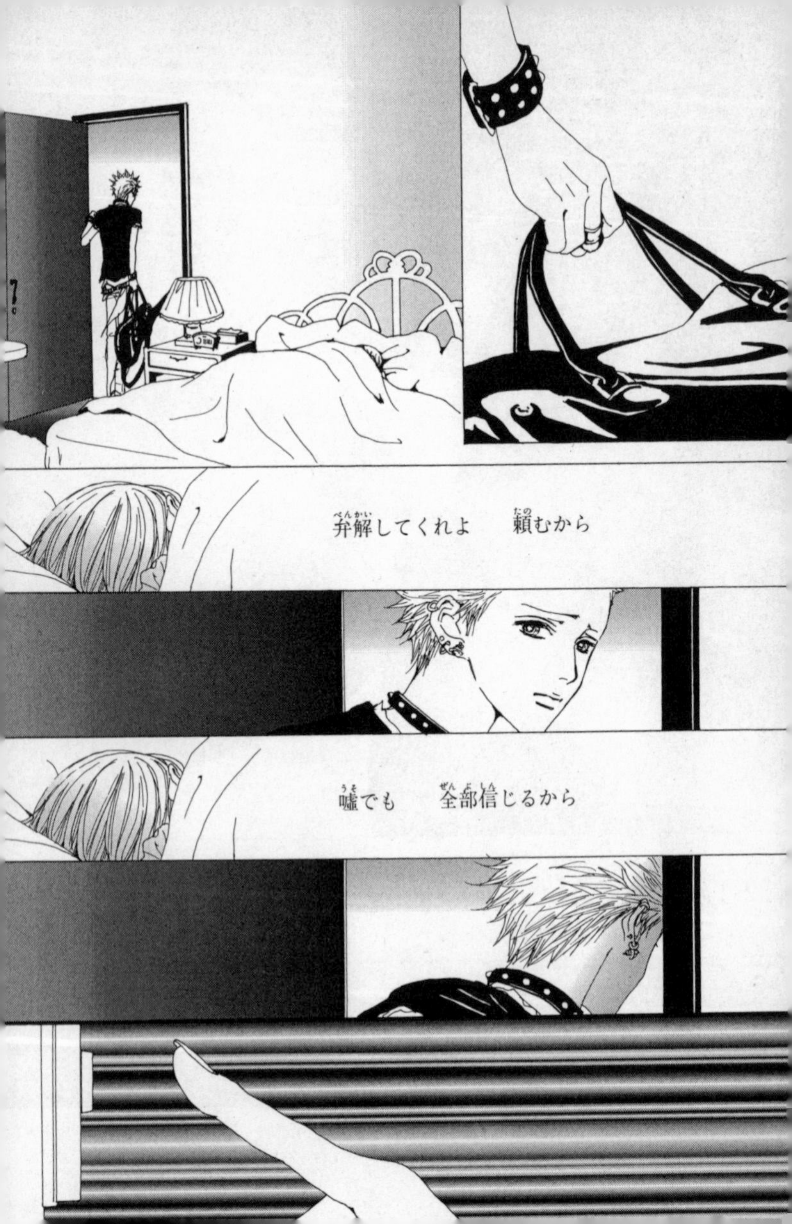
弁解《べんかい》してくれよ　頼《たの》むから
嘘《うそ》でも　全部《ぜんぶ》信《しん》じるから

ピンポーン
……
誰《だれ》だ？ こんな時間《じかん》に
こんな真夜中《まよなか》に アポ無《な》しで来《く》る 無礼者《ぶれいもの》は2人しか 思《おも》い当《あ》たらないけど
……ああ…
どっちかな
ガチャ
はい どちら様《さま》？

淳《じゅん》ちゃ…
気《き》がついたら
ここに来《き》ていた
苦《くる》しくて
息《いき》をするのも
精一杯《せいいっぱい》になって
全《すべ》てを吐《は》き出《だ》すように
ぶちまけたけど
上手《うま》く説明《せつめい》出来《でき》たか
どうかは分《わ》からない

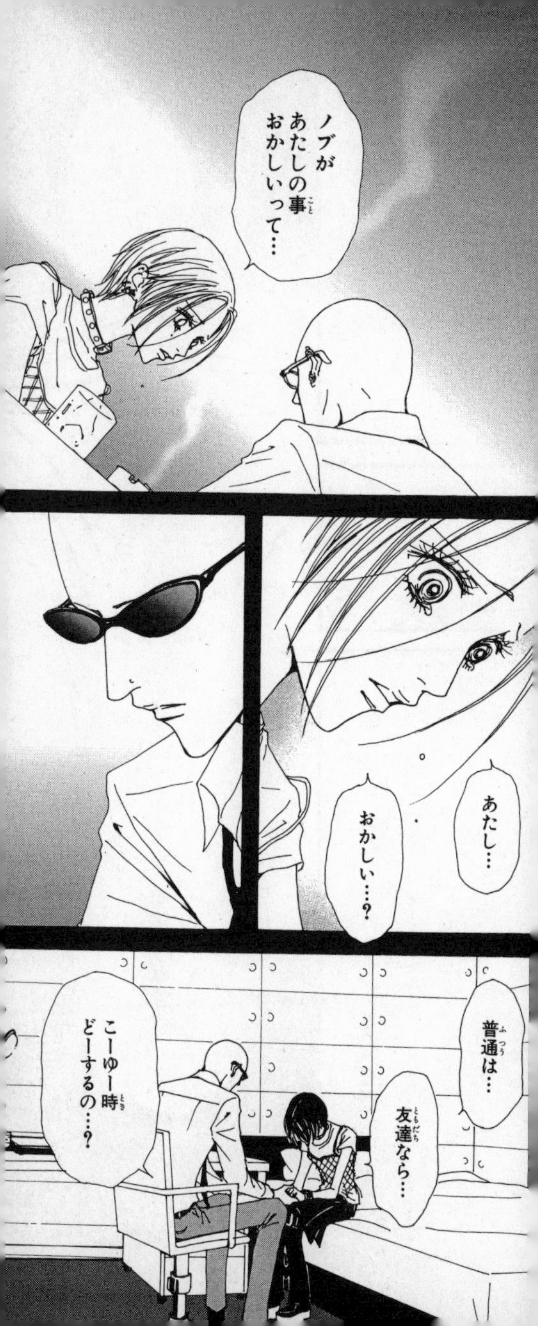
ノブが あたしの事《こと》 おかしいって…
あたし…
おかしい…?
普通《ふつう》は…
友達《ともだち》なら…
こーゆー時《とき》 どーするの…?

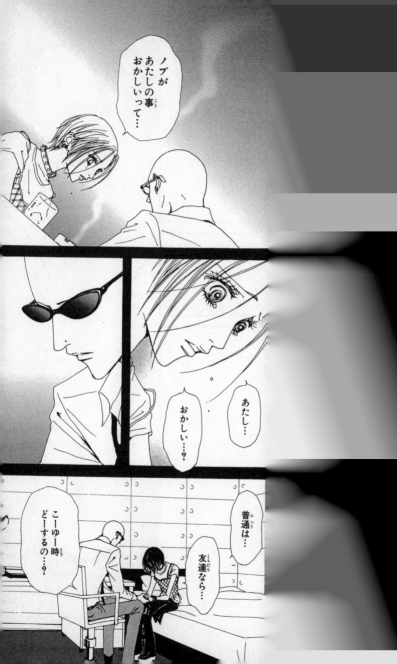

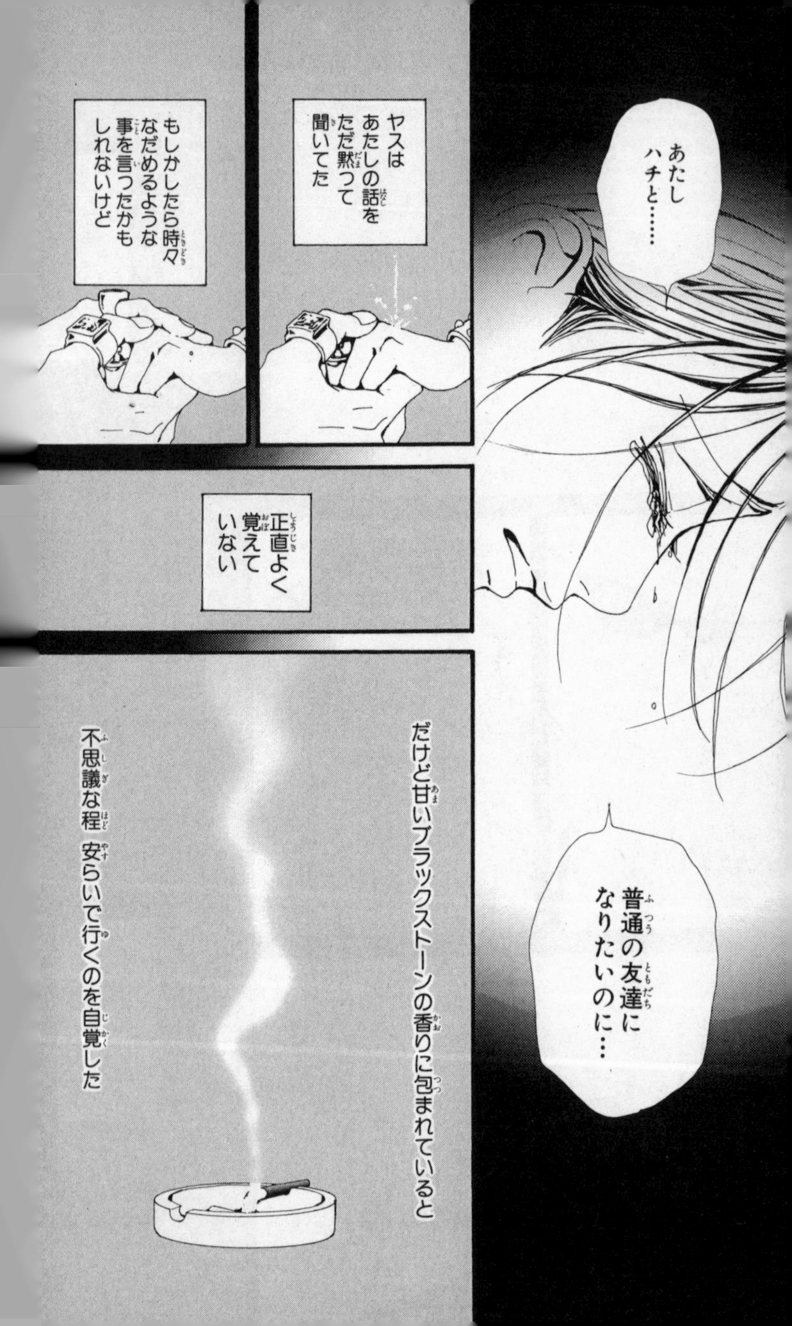
あたし
ハチと……
普通《ふつう》の友達《ともだち》に
なりたいのに…
ヤスは
あたしの話《はなし》を
ただ黙《だま》つて
聞《き》いてた
もしかしたら時々《ときどき》
なだめるような
事《こと》を言《い》つたかも
しれないけど
正直《しょうじき》よく
覚《おぼ》えて
いない
だけど甘《あま》いブラックストーンの香《かお》りに包《つつ》まれていると
不思議《ふしぎ》な程《ほど》 安《やす》らいで行《ゆ》くのを自覚《じかく》した

シュボッ
京助《きょうすけ》
煙草《たばこ》吸《す》わないで
ああ……
ごめん……
ごめんね京助《きょうすけ》……
いや……
平気《へいき》……
つーか…
だめだね男《おとこ》ってのはこーゆー時《とき》オロオロするばっかりで
あんたがオロオロしてどーすんのよ
いやそーなんだけどね
……
なんか肩身が狭いのよ

その点《てん》 その…
タクミだっけ?
話《はなし》に聞《き》く限《かぎ》りは妙《みょう》に いさぎいい決断力《けつだんりょく》で 感心《かんしん》するんだけど
そう?
あたしには自己中《じこちゅう》で 威圧的《いあつてき》な男《おとこ》としか 思《おも》えないけど
そうか?
だって奈々《なな》の携帯《けいたい》使《つか》って いきなりノブにそんな話《はなし》したら ノブが疑心暗鬼《ぎしんあんき》になって 怯《ひる》むのはあたり前《まえ》じゃん!
戦意喪失《せんいそうしつ》させて 引《ひ》き下《さ》がるように 仕向《しむ》けたんじゃないの?
しかも奈々《なな》が 抵抗出来《ていこうでき》ない ように部屋《へや》に 鍵《かぎ》かけて
本当《ほんとう》に奈々《なな》を思《おも》いやってたら そんなやり方《かた》しないよ 自分《じぶん》の目的《もくてき》の為《ため》なら 平気《へいき》で他人《たにん》を陥《おとし》れる タイプの人間《にんげん》じゃん
……
それ一瞬《いっしゅん》の内《うち》に計算《けいさん》して やったんだとしたら相当《そうとう》 頭《あたま》のキレるやつだぞ
ある意味《いみ》 感心《かんしん》するけど
タクミは……
そこまで深《ふか》く 考《かんが》えてないよ きっと……
あたしが…
ノブの事《こと》 彼氏《かれし》とか言《い》ったり したから…
きっと単《たん》に 悔《く》やし紛《まぎ》れの 勢《いきお》いで……

あら そう ごちそうさま
や…
なんかプライドが高《たか》い人《ひと》だから…
高《たか》いのか それ
それが本音《ほんね》だとしたらおもちゃ取《と》られた子供《こども》のように幼稚《ようち》だが……
………
そーかも……
そーなの？
まあ なんにしても子供《こども》を認知《にんち》するなんて生半可《なまはんか》な気持《きも》ちじゃ言《い》えないって
ヤスの同級生《どうきゅうせい》って事《こと》は まだ23か4でしょ？
経済力《けいざいりょく》はあるの？
何《なに》してる人《ひと》？
まさか同じく弁護士？
……
ミュージシャン…？
大丈夫《だいじょうぶ》なの それ！
稼《かせ》ぎ あんの？
………
まあ 迷《まよ》わず認知《にんち》するって言《い》う位《くらい》だからそれなりにあるんじゃねえの？
なんで黙るのよっ

だいたい あたしは
その「認知《にんち》」って言《い》い方《かた》が
気《き》にくわないよ
「養育費《よういくひ》
だけ出《だ》す」
みたいな
あ
でも
そーゆー
意味《いみ》だと
思《おも》う
何《なに》それ！
なんで結婚《けっこん》して
くれないの？
妻子《さいし》持《も》ち!?
またもや不倫?!
それで隠してたのか！
ううん
でも結婚《けっこん》となると
色々《いろいろ》大変《たいへん》だろうし
そこまで迷惑《めいわく》
かけられないよ…
意味分《いみわ》かん
ないよ！
あんた それで
いーわけ？
充分《じゅうぶん》だよ

そんなに産《う》みたいんだ
最初《さいしょ》はね…
気《き》のせいであって欲《ほ》しいと思《おも》ったの
あんまり考《かんが》えないようにして逃《に》げてたし…
でも思《おも》い当《あ》たる事《こと》はあったから どんどん不安《ふあん》になって…
だから検査薬《けんさやく》で陽性《ようせい》が出《で》た時《とき》も
逃《に》げ場《ば》がなくなったみたいで すごく怖《こわ》くなって…
病院《びょういん》に行《い》くのも怖《こわ》かったけど
ほんとに妊娠《にんしん》してるなら早《はや》く中絶《ちゅうぜつ》の手術《しゅじゅつ》しなきゃと思《おも》った
誰《だれ》にも内緒《ないしょ》で堕《お》ろしたら何事《なにごと》もなかったように今《いま》まで通《どお》り生《い》きてけると思《おも》ったの……
でも病院《びょういん》で……
ほんとに自分《じぶん》の子供《こども》が お腹《なか》にいるんだって分《わ》かって……
急《きゅう》に実感《じっかん》みたいのが湧《わ》いて……

堕《お》ろして何事《なにごと》もなかったようになんて絶対《ぜったい》したくないと思《おも》った
怖《こわ》いとか不安《ふあん》とかもなくなって とにかくしっかりしなきゃって気分《きぶん》になって
産科
上手《うま》く言《い》えないけど…
お腹《なか》の子《こ》の命《いのち》を守《まも》ってあげられるのはあたしだけだって思《おも》ったし…
中里医院
なんとか一人《ひとり》でも産《う》んで育《そだ》てられないかなって考《かんが》えたけど……
現実問題《げんじつもんだい》お金《かね》がないし…
つわりが酷《ひど》くてバイトさえ行《い》けないし…
どうしようもないのかなって途方《とほう》に暮《く》れてたから……
タクミがああ言《い》ってくれて……
すごくびっくりしたけどうれしかった
甘《あま》えちゃいけないのかもしれないけど…
いやいけなかないだろ
たぶん そいつの子《こ》なんだろ？
責任あんじゃん
ノブはちゃんと避妊《ひにん》してくれてたんでしょ？
可能性《かのうせい》は相当《そうとう》低《ひく》いよ
酷《ひど》い話《はなし》だよね……

ノブは ちゃんと 避妊《ひにん》とかも してくれて…
あたしの事《こと》…
すごい大切《たいせつ》に してくれてた のに……
あたしは それを 全部《ぜんぶ》 踏《ふ》みにじって
タクミに頼《たよ》って 子供《こども》を産《う》むん だよ……
そんな 自分勝手《じぶんかって》な事《こと》 許《ゆる》されるの…?
まあ ノブは あんたを 許《ゆる》せないかもね
状況《じょうきょう》からして あんたに ふた股《また》かけられたと 思《おも》い込《こ》んでるみたいだし
いや…… その誤解《ごかい》は 解《と》いた方《ほう》が いーんじゃ ねえの?
どーやって? 証拠《しょうこ》もないのに
弁解《べんかい》しても信《しん》じるか どーかギモンだよ

だから ほら……
ノブにしてみたら
事実《じじつ》がどうあれ 弁解《べんかい》する位《くらい》の 自分《じぶん》に対《たい》する熱意《ねつい》を 見《み》せて欲《ほ》しかったんだろ
そしたら「おれが なんとかしてやる」って 闘志《とうし》も 湧《わ》くかもよ？
単純そーだしな あいつ
ヘタに そんなもん 湧《わ》かない方《ほう》が ノブの為《ため》には いーんじゃない？
愛情《あいじょう》だけじゃ 子供《こども》は育《そだ》てられ ないんだから
バンドで成功《せいこう》 するなんて 夢見《ゆめみ》てる場合《ばあい》じゃ なくなるし
奈々《なな》の為《ため》に夢《ゆめ》は諦《あきら》めて 実家《じっか》の旅館《りょかん》でも継《つ》ぐとか 言《い》い出《だ》しかねないよ
おれは意地《いじ》でも おまえを幸《しあわ》せにしてやる
明《あき》らかに 自分《じぶん》の子《こ》なら ともかくさ
まだ20歳《ハタチ》なのに こんな形《かたち》で 人生《じんせい》決《き》まっ ちゃうのは 酷《こく》すぎるよ
だから奈々《なな》だって ノブには頼《たよ》っちゃ いけないと思《おも》ったん でしょ？
そりゃ 言《い》えない よね

奈々《なな》…
おまえ本気《ほんき》でノブに惚《ほ》れてんだなぁ…
あの自己中だった奈々がそんな殊勝な……
いかん…胸がいっぱいになって来た
てゆーか奈々《なな》はノブの彼女《かのじょ》である前《まえ》にブラストの信者《しんじゃ》だからね
教祖《きょうそ》様《さま》御《ご》一行《いっこう》の成功《せいこう》は自分《じぶん》の夢《ゆめ》でもあるんだよ
上手《うま》く行《い》かねえなあ人生《じんせい》ってのは……
魔王《まおう》はほんとにいるんじゃねぇのか？
何《なに》言《い》ってんの？
ちゃんと避妊《ひにん》してもらわなかった奈々《なな》が悪《わる》いんだよ
しかも間《ま》を空《あ》けずにノブともヤッて
フラフラバカな事《こと》したツケが回《まわ》って来《き》たんだよ！
ちゃんとそれ分《わ》かってる？
説教《せっきょう》するなよこんな時《とき》に…
充分苦しんでるじゃん
ぶんぶん
こんな時《とき》じゃないと耳《みみ》に入《はい》らないんだよ奈々《なな》は！
甘やかすな！

だいたい あんた そんな
結婚《けっこん》してくれないような
男《おとこ》の援助《えんじょ》で子供《こども》育《そだ》てるのが
どーゆー事《こと》か分《わ》かってる？
それじゃ愛人《あいじん》と
変《か》わんないじゃん
普通《ふつう》の家庭生活《かていせいかつ》なんか
望《のぞ》めないよ？
ほんとに
それでいーの？
……
だったら一生《いっしょう》
その男《おとこ》に
操《みさお》立《だ》てるのが
筋《すじ》ってもんだよ
ノブの事《こと》は
キッチリ
カタつけて
諦《あきら》められる
のね？
返事《へんじ》は声《こえ》に
出《だ》して！
はいっっ
ダン
なんで そんなに
偉《えら》そうなんだ
おまえは！

うるさいな！
あたしに対《たい》する説教《せっきょう》なら あとで聞《き》くよ！
今《いま》は奈々《なな》の問題《もんだい》のが大事《だいじ》でしょ！
……はい
怖ーな 元ヤンは……
万《まん》が一《いち》ノブの子《こ》が生《う》まれても タクミの子《こ》として大切《たいせつ》に育《そだ》てられるのね？
タクミが その子《こ》を認知《にんち》はしても 可愛《かわい》がれるかは 別問題《べつもんだい》だよ？
分《わ》かった そこまで産《う》みたいなら あたしは反対《はんたい》しない
はい……
ただし その決意《けつい》を一生《いっしょう》忘《わす》れないで

それで覚悟《かくご》 決《き》めたら 二度《にど》とウジウジ 泣《な》かないで
そんな暗《くら》い女《おんな》が 母親《ははおや》じゃ子供《こども》が かわいそうだよ
自分《じぶん》の母親《ははおや》を 見習《みなら》いな
じゃあ ほんとに 色々《いろいろ》ありがとう 淳《じゅん》ちゃん 京助《きょうすけ》
聞《き》いてもらえて 元気《げんき》出《で》た
また連絡《れんらく》 するね

とりあえず
体《からだ》に気《き》を付《つ》けて
しっかりな
ヴロロロロロ‥‥

ほんとに産《う》む気《き》なのかな
奈々《なな》の一生《いっしょう》どころか子供《こども》の人生《じんせい》にも関《かか》わる事《こと》なのに
不安《ふあん》で胃《い》が痛《いた》いよ
でも奈々《なな》が自分《じぶん》で そう決《き》めたんだから
おれ達《たち》がこれ以上《いじょう》とやかく言《い》う権利《けんり》ねえし
応援《おうえん》してやるしかねえんじゃねえの？
そーだね
奈々《なな》の夢《ゆめ》はフツーにお嫁《よめ》さんになる事《こと》だったのに
子供《こども》は堕《お》ろしてノブと上手《うま》くやって行《い》けば
近《ちか》い将来《しょうらい》 その夢《ゆめ》が叶《かな》ったかもしれないのに
それを捨《す》ててまで産《う》みたいって言《い》うんだから
よっぽどの覚悟《かくご》だよね

でも お父《とう》さんは 奈々《なな》の花嫁姿《はなよめすがた》が 見《み》たかったなぁ
なんで 嫁《よめ》にもらって くれないんだタクミは
お父さん
子供《こども》より 奈々《なな》の方《ほう》が 面倒《めんどう》見《み》きれ ないからじゃ ない？
……
707
あれ？
鍵《かぎ》……
707
カチャ…
ビク
ビク
…………

ナナ!?
……
あ……ヤベ……
寝ちゃったし
お帰《かえ》り――

開《あ》けっぱなしでどこ行《い》ってたんだよ
心配《しんぱい》するだろ？
……
ノブとは話《はなし》済《す》んだ？
あ…
うん…
ごめん…
帰《かえ》ったと…思《おも》ってた
買《か》い物《もの》行《い》ってたんだよ
カチャ…
飲《の》む？グレープフルーツジュース
しまった 冷やしとけばよかったな

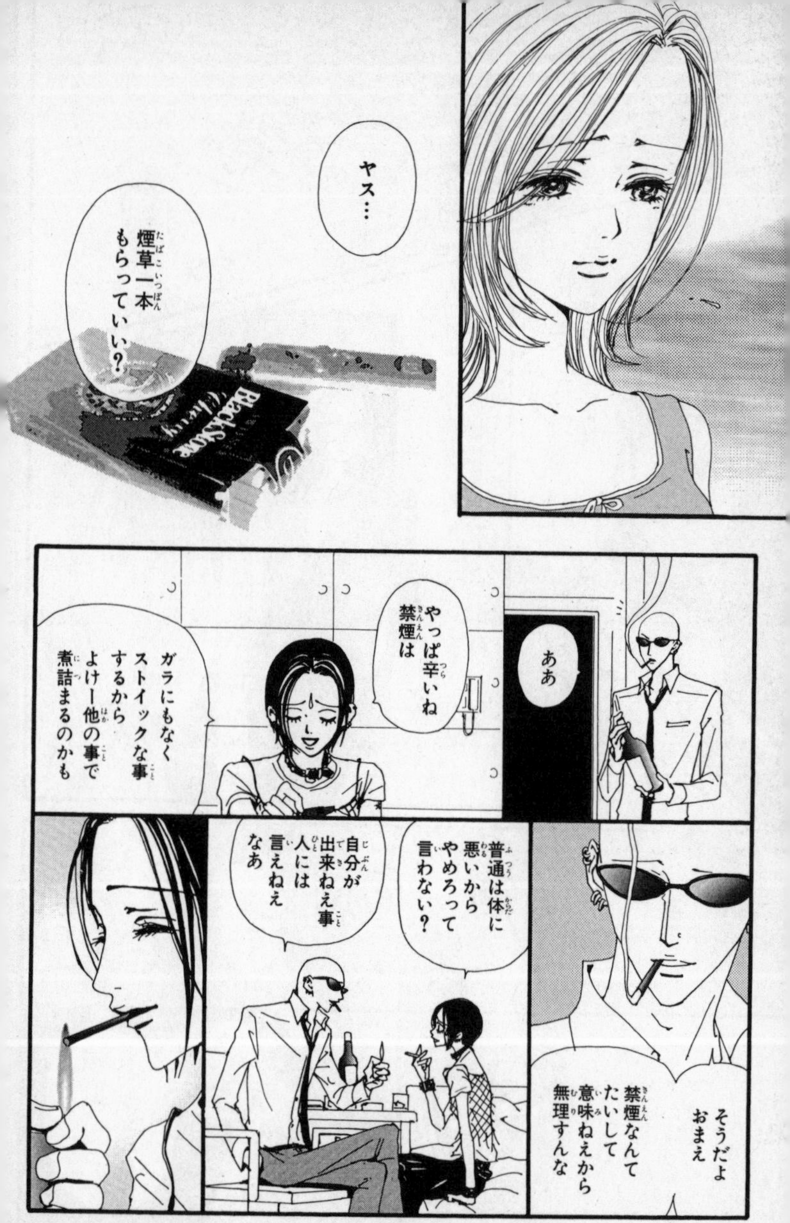

ヤス…
煙草《たばこ》一本《いっぽん》もらっていい?
BlackStone Cherry
ああ
やっぱ辛《つら》いね 禁煙《きんえん》は
ガラにもなく ストイックな事《こと》 するから よけー他《ほか》の事《こと》で 煮詰《につ》まるのかも
そうだよ おまえ
禁煙《きんえん》なんて たいして 意味《いみ》ねえから 無理《むり》すんな
普通《ふつう》は体《からだ》に 悪《わる》いから やめろって 言《い》わない?
自分《じぶん》が 出来《でき》ねえ事《こと》 人《ひと》には 言《い》えねえ なあ

ふ
旨《うま》いか
まずいよ
さてと
そろそろ帰《かえ》るか
始《し》発《はつ》も出《で》る頃《ころ》だし
え？
ごめんね邪魔《じゃま》して ナオキ来《き》てたのに
デキてんの？ ナオキと♡
いや……
なんか誤解《ごかい》された気《き》もするけど よろしく言《い》っといてよ
ああ…

大丈夫《だいじょうぶ》か ナナ
えっ 何《なに》が？
冗談《じょうだん》だよ バーーカ
―そこまで 壊《こわ》れてねえよ
～～～
大丈夫《だいじょうぶ》
ちゃんと やれる
普通《ふつう》の 友達《ともだち》付《づ》き合《あ》い ってのは やっぱ よく分《わ》かんねえ けど
ハチが誰《だれ》と どんな人生《じんせい》を 歩《ある》こうと
干渉《かんしょう》せずに 優《やさ》しく 見守《みまも》るよ
あんたが あたしに そうしてくれる みたいに

口《くち》で言《い》う程《ほど》楽《らく》じゃねえぞ？
ごめんねヤス ありがとう
大丈夫《だいじょうぶ》 上手《うま》くやるよ
だって あたしとハチは 女同士《おんなどうし》だから

でも だから こんなに もどかしいのかな
おれ 今日《きょう》から レコーディング でさ
え!?
ごめ……
いや 平気《へいき》
午後《ごご》からだし
でも たぶん 一週間《いっしゅうかん》は カンヅメに なっちゃう から
その前《まえ》に キミの決意《けつい》の程《ほど》を 聞《き》かせてくれない?
このままじゃ 落《お》ち着《つ》かなくて 仕事《しごと》にならねえよ
ごめんね せっかちで〜
……

……
覚悟《かくご》 決《き》めたら二度《にど》とウジウジ泣《な》かないで
子供《こども》が かわいそうだよ
子供《こども》は……
タクミの子《こ》として産《う》んで育《そだ》てたいと思《おも》ってる
迷惑《めいわく》じゃなければ

結婚《けっこん》するか
え？
だって おまえ 隠《かく》し子《ご》は マズイだろ
世間《せけん》にバレたら どー取《と》り繕《つくろ》っても 心証《しんしょう》悪《わる》いし
でもフツーに 結婚《けっこん》する分《ぶん》には 問題《もんだい》ねえじゃん？
相手《あいて》が一般人《いっぱんじん》なら マスコミも そんな 騒《さわ》がねえしさ

嫌《いや》？
あんたが誰《だれ》と
どんな人生《じんせい》を
歩《ある》こうと

あんたが幸《しあわ》せであれば　それでいい
心《こころ》の底《そこ》から　そう思《おも》えるような
出来《でき》た人間《にんげん》にはなれなくても
あんたの瞳《め》に映《うつ》る　あたしは
強《つよ》くしなやかでありたかった
出来《でき》すぎた漫画《まんが》のヒーローみたいにね

NANA－ナナ－ ⑧／おわり

おまけページ

7F スナック
淳子の部屋
7、8巻
出版記念パーティー
後片付けの為
休業致します。
淳子ママ
片付《かたづ》ける程《ほど》の事《こと》したっけ!?
おかわり♡
やっぱなごむわ〜ジャクソンは
せめて片付《かたづ》けてるフリした方《ほう》がいいよ淳子《じゅんこ》ちゃん……

申《もう》し分《わ》けございません。9巻《かん》はきっと営業致《えいぎょういた》します。

7.8巻《かん》 絶賛発売中《ぜっさんはつばいちゅう》です！
「淳子《じゅんこ》の部屋《へや》」のストーリーは 7.8巻《かん》のスペシャル編《へん》を読《よ》まないと 次《つぎ》に繋《つな》がりません！
別《べつ》に繋《つな》がらなくても あなたの人生《じんせい》には 何《なん》の差《さ》し障《さわ》りもないとは 思《おも》いますが！
本編出演者一同《ほんぺんしゅつえんしゃいちどう》 人生《じんせい》を懸《か》けて このおまけページに 挑《いど》んで行《い》くつもりです！
以上 緊迫する ヤザワビル6階から 美里がお送りしました！
だから 7.8巻《かん》って何《なに》!?
だいたい このおまけページに ストーリーなんかあるのか？
♡おハガキ待《ま》ってます♡
〒101ー8050
東京都千代田区一ツ橋2ー5ー10
集英社 Cookie編集部
矢沢あい「淳子の部屋」係

7.8巻の

"淳子の部屋スペシャルで何が起こったのか…!!?"

……は、ともかくとして。

このファンブックはすごいですよ！

- ●ハチの部屋をイメージした実写カラーページ！
- ●描き下ろしのキャラクター紹介。そこには各キャラの血液型、身長、体重、年齢が！
- ●NANAワールドが深く理解できるキーワード解説！　意外な意味や謎を発見したり…。
- ●NANAの舞台を歩いたカラーMAP！
- ●矢沢先生が「ここでなら」と話してくれたロングインタビュー！
- ●ナナのメイクレッスンを始め充実キャラルーム！
- ●モノローグで振り返るNANA'S STORY！
- ●トラネスへの生インタビュー!!

などなど、内容充実、売り切れ心配。

その上、初版ならナナとハチのキャラカード、

重版ならばナナとハチのポストカードがついて

本体価格が571円。どうです奥さん！いや、お嬢さん!!

(TVショッピング風…。失礼しました！)

NANA 7.8

—ナナ—

—ナナ&ハチ Premium fan book!—

■KEY WORDS

NANA

Osaki Nana

大崎ナナ

Age＊[redacted]

Blood Type＊[redacted]

Height＊[redacted]cm

Weight＊[redacted]kg

■PROFILE

この物語の主人公。歌で成功するという決意を胸に上京。トラネスをライバル視し、練習に励む。

収録作品メモ

『NANA―ナナ―』⑧巻 ■クッキー・平成14年12月号から平成15年3月号に掲載

♥りぼんマスコットコミックス クッキー

NANA―ナナ―⑧

2003年5月20日 第1刷発行

著 者 矢沢あい

編 集 株式会社 創美社
〒101-0051 東京都千代田区神田神保町3－9
第一丸三ビル
電話 03(3288)9823

発行人 片山道雄

発行所 株式会社 集英社
〒101-8050 東京都千代田区一ツ橋2－5－10
電話 編集 03(3230)6175
販売 03(3230)6191
制作 03(3230)6076

Printed in Japan
印刷所 凸版印刷株式会社

ISBN4-08-856464-2 C9979

RIBON MASCOT COMICS

りぼん マスコット コミックス

2003年《ねん》 6月《がつ》13日《にち》 同時発売《どうじはつばい》!!

陸《りく》の魚《さかな》

青柳《あおやぎ》ちふゆ

元《もと》・高校《こうこう》短距離界《たんきょりかい》のホープ・青《あお》。ある日《ひ》、青《あお》は偶然《ぐうぜん》傷《きず》つけてしまったバイクの弁償《べんしょう》をするために、町《まち》の運動会《うんどうかい》で優勝《ゆうしょう》しなければならないことになり…。（他《ほか》3編《へん》）

なぞなぞキューちゃん④

及川《おいかわ》えみり

いつもにぎやかなキューちゃんと仲間達《なかまたち》がおくる「なぞキュー」の第《だい》4弾《だん》!! 次《つぎ》々《つぎ》と飛《と》び出《だ》すなぞなぞに楽《たの》しさいっぱい★ 「ぽるぽるぽるる」後編《こうへん》も同時収録《どうじしゅうろく》。

侍《さむらい》ダーリン

春田《はるた》なな

女子校《じょしこう》に通《かよ》う超明《ちょうあか》るい女《おんな》の子《こ》・亜実子《あみこ》。他校《たこう》の文化祭《ぶんかさい》に潜入《せんにゅう》するけれど、目当《めあ》ての彼《かれ》には彼女《かのじょ》がいた。落《お》ち込《こ》む亜実子《あみこ》の目《め》の前《まえ》に、侍《さむらい》姿《すがた》の男《おとこ》の子《こ》が!? （他《ほか》2編《へん》）

ウルトラマニアック③

吉住《よしずみ》 渉《わたる》

架地《かじ》くんと両想《りょうおも》いになり、付《つ》き合《あ》い始《はじ》めた亜由《あゆ》は、すっかり幸《しあわ》せモードに。一方《いっぽう》、魔女《まじょ》っ子《こ》・仁菜《ニナ》は辻合《つじあい》くんにリオが猫《ねこ》に変身《へんしん》するところを見《み》られてしまい…!?

Cookie《クッキー》シリーズ

恋《こい》がしたい

中井芽菜《なかいめな》

恋愛《れんあい》したくても出会《であ》いのない、彼氏《かれし》イナイ歴《れき》2年《ねん》と10ケ月《げつ》の23歳《さい》・OL《オーエル》ゆみ。が、友達《ともだち》の一言《ひとこと》をきっかけに、喫茶店《きっさてん》の店員《てんいん》に声《こえ》を掛《か》けてみると、相手《あいて》は!?（他《ほか》2編《へん》）

ホームステディ

長谷川潤《はせがわじゅん》

教師《きょうし》を目指《めざ》す大学生《だいがくせい》の安寿《あず》は、家庭教師《かていきょうし》のバイトを始《はじ》める。が、教《おし》え子《ご》の炯《けい》に初《しょ》対面《たいめん》で押《お》し倒《たお》され大激怒《だいげきど》！ そこで髪型《かみがた》を変《か》えて気合《きあ》いを入《い》れ直《なお》すが!? （他《ほか》1編《へん》）

きせかえユカちゃん④

東村《ひがしむら》アキコ

最近《さいきん》、指輪《ゆびわ》のCM《シーエム》に夢中《むちゅう》なユミ。そんな姉《あね》の様子《ようす》を見《み》たユカちゃんは、ユミの彼《かれ》・茂雄《しげお》を強引《ごういん》に誘《さそ》って、その道《みち》のプロ(?)のみどりパパ達《たち》と指輪《ゆびわ》を買《か》いに行《い》き…。

ビューティ&《アンド》スウィート

広田智美《ひろたともみ》

美保《みほ》は憧《あこが》れの美容師《びようし》・信吾《しんご》さんに髪《かみ》を切《き》ってもらいに、3年間《ねんかん》ずっと月《つき》に一度《いちど》美容院《びよういん》へ通《かよ》っている。ところが、ある日《ひ》学校《がっこう》で髪型《かみがた》を先生《せんせい》に注意《ちゅうい》され…!? （他《ほか》3編《へん》）

インターネットでも集英社《しゅうえいしゃ》のコミックスが購入《こうにゅう》できます!! http://www.shueisha.co.jp